D1349195

La Duchesse de Montpensier

ANNE ANDREU

La Duchesse de Montpensier

ou la Grande Amazone

ЯR

ÉDITIONS RENCONTRE LAUSANNE

Ces Femmes qui ont fait l'Histoire

La Duchesse de Montpensier
par Anne Andreu

Blanche de Castille
par Yette Jeandet

Lucrèce Borgia
par Magda Martini

Catherine de Médicis
par Jean-Charles Remy

Isabeau de Bavière
par Bertrand Chavelot

Madame de Maintenon
par Louis Mermaz

Madame du Barry
par Gérard Doscot

Marie Stuart
par Jean Debœuf

Théodora
par Jean Steiner

Cléopâtre
par Joël Schmidt

Madame Roland
par Hélène Ribes

La Duchesse de Berry
par Jean-Paul Roussilhe

La Vraie Dame aux Camélias
par Marcelle-Maurette

Héloïse
par Yette Jeandet

Louise Labé
par Yvonne Girault

Madame de La Fayette
par Jean-Charles Remy

Lola Montès
par J. Wilmes et J. Prézelin

Madame Tallien
par Jean-Claude Jumièges

La Duchesse d'Albe
par Marie-France Schmidt

Madame du Deffand
par Gérard Doscot

Ninon de Lenclos
par Annie Brierre

Madame Sabatier
par Louis Mermaz

Christine de Pisan
par Marguerite Favier

Madame de Staël
par Pierre Cordey

Collection dirigée par Joël Schmidt

Généalogie de la duchesse de Montpensier

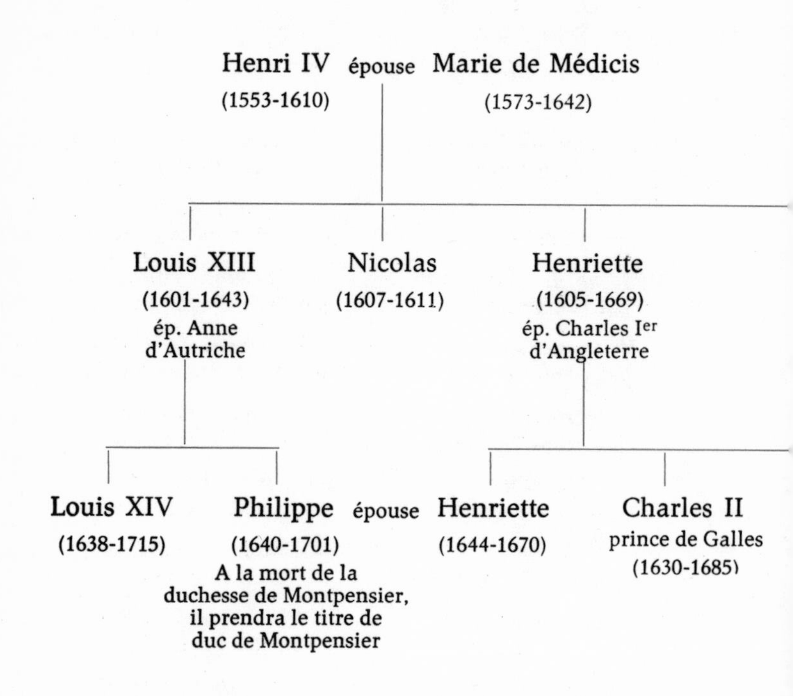

Henri, duc de Montpensier épouse Henriette de Joyeuse
(1573-1608) († 1656)

Gaston d'Orléans épouse Marie de Montpensier
(1608-1660) (1605-1627)
puis
Marguerite de Lorraine

Jacques II
duc d'York
(1633-1701)

Anne-Marie-Louise d'Orléans
duchesse de Montpensier
(1627-1693)

épouse (?) Antoine Nompar de Caumont,
comte puis duc de Lauzun
(1633-1723)

TABLE CHRONOLOGIQUE

1627	29 mai	Naissance au Louvre d'Anne-Marie d'Orléans, fille de Gaston d'Orléans, frère de Louis XIII, et de Marie de Bourbon, duchesse de Montpensier.
	Juin	Mort de Marie de Bourbon.
1627-1628		Siège de La Rochelle par Richelieu.
1629		Grâce d'Alais.
1630	10 novembre	Journée des Dupes. Marie de Médicis, grand-mère de la jeune duchesse de Montpensier, disparaît de la scène politique.
1632		Gaston d'Orléans épouse en secondes noces Marguerite de Lorraine, malgré l'opposition de son frère Louis XIII. Il participe à une révolte des Princes, conduite par Henri II de Montmorency. La conspiration échoue. Montmorency est décapité. Gaston d'Orléans, parce qu'il est le frère du roi, n'est qu'exilé.

1634	8 octobre	De retour d'exil, Gaston d'Orléans réside à Blois avec sa fille.
1636	25 janvier	Bal donné aux Tuileries en l'honneur de la duchesse de Montpensier, âgée alors de huit ans.
1638	5 septembre	Naissance de Louis XIV au Château de Saint-Germain.
1641	6 juillet	Le comte de Soissons, un des prétendants de la Grande Mademoiselle, est tué au cours d'une nouvelle révolte des Princes.
1642	3 juillet	Mort de Marie de Médicis.
	12 septembre	Conspiration de Cinq-Mars et de Thou qui sont décapités. Gaston d'Orléans était du complot, mais s'en est, comme à l'habitude, retiré à temps.
	4 décembre	Mort de Richelieu.
1643	14 mai	Mort de Louis XIII. Son épouse Anne d'Autriche est proclamée régente; le futur Louis XIV n'est âgé que de cinq ans.
	19 mai	Bataille de Rocroi, gagnée par le jeune prince de Condé.
1646	Automne	Le prince de Galles, fils de Charles Ier et d'Henriette de France, elle-même fille d'Henri IV, devient un des pré-

		tendants possibles de la duchesse de Montpensier.
1647		Apparition d'un autre prétendant, l'archiduc Léopold, frère de l'empereur.
1648		Début de la Fronde.
1649	6 janvier	Sous la poussée des événements, la Cour est obligée de s'enfuir hors de Paris et de gagner le Château de Saint-Germain. La duchesse de Montpensier fait partie de l'équipée.
1649		En Angleterre, Charles Ier est décapité, son fils Charles II se proclame roi, mais il devra attendre la fin de la dictature de Cromwell pour revenir en Angleterre. Il demeure toujours le prétendant le plus en vue de la Grande Mademoiselle.
1650	2 janvier	La Fronde ravage toujours la France. Mazarin ordonne l'arrestation de Condé, Conti, Longueville qui sont conduits au Château de Vincennes.
1651	Février	Mazarin est contraint à l'exil, devant l'ampleur du mouvement suscité par ses initiatives politiques impopulaires.
1652	27 mars	La duchesse de Montpensier obtient, au profit des Frondeurs, la reddition de la ville d'Orléans.

1652	2 juillet	Voyant que les troupes de Condé risquent d'être massacrées devant la Porte Saint-Antoine par l'artillerie de l'armée royale commandée par Turenne, la Grande Mademoiselle fait tourner les canons de la Bastille contre les soldats du roi, sauvant Condé du désastre.
	13 octobre	Condé quitte la Cour et Paris.
	21 octobre	Rentrée du roi et de la reine au Louvre. Exil de la duchesse de Montpensier à Saint-Fargeau dans l'Yonne.
1660		Mort de Gaston d'Orléans, père de la duchesse de Montpensier.
	9 juin	Après le mariage de Louis XIV avec Marie-Thérèse d'Autriche, la Grande Mademoiselle, rentrée en grâce, s'installe au Palais d'Orléans, ou Palais du Luxembourg.
1661	9 mars	Mort de Mazarin.
		Commencement de l'idylle orageuse entre Lauzun et la Grande Mademoiselle.
1671	25 novembre	Lauzun, haï par la Montespan, maîtresse du roi Louis XIV, est arrêté et conduit à Pignerol.
1681		Lauzun est libéré sur l'intervention

		de la Grande Mademoiselle; il se marie peut-être secrètement avec elle.
1684	22 avril	Rupture avec Lauzun.
1693	5 avril	Mort d'Anne-Marie d'Orléans, duchesse de Montpensier.

CHAPITRE PREMIER

Une petite fille riche

« Un jour, comme je me promenais dans le Parc de... » Quel jour? Quel parc? On n'en saura jamais plus...

Ce n'est pas le début d'un nouveau *Grand Meaulnes,* mais les derniers mots des mémoires de la plus romanesque des princesses de France. En nous abandonnant ainsi sur une impression de mystère, la Grande Mademoiselle est demeurée jusqu'au bout fidèle à son personnage. Sans le savoir, elle a fait de son journal inachevé un symbole, le reflet même de tout ce qu'elle a tenté. Des centaines d'anecdotes, d'intrigues, de portraits et voilà la chronique d'un siècle brutalement interrompue par des points de suspension. Comme si, soudain, tout cela ne voulait plus rien dire. A quoi a-t-il bien pu lui servir de tant aimer le monde et sa gloire? A l'heure de la mort, la Grande Mademoiselle ne trouve pas de réponse. C'est le silence, sans plus d'explications. Dans la vie comme dans l'œuvre de la princesse, il manque toujours la conclusion.

Pourtant le Ciel n'avait par ménagé ses faveurs à la petite-fille d'Henri IV. Naissance, honneurs, richesses... Tous les biens terrestres lui étaient réservés. Autant d'explosifs à confier aux mains d'une demoiselle passionnée. « Car le bonheur aussi est affaire de raison », disait Stendhal. Et raisonner n'était pas le fort de la Grande Mademoiselle.

Pourquoi se serait-elle contrainte à connaître à fond les hommes et à juger sainement des événements, lorsqu'il est si naturel de s'abandonner à des coups de tête?

A la manière de Perrault, on dirait que toutes les fées s'étaient donné rendez-vous au Louvre, autour d'un même berceau, en ce jour du 29 mai 1627: Anne-Marie d'Orléans, fille de Gaston, frère de Louis XIII, et de Marie de Bourbon, duchesse de Montpensier, vient au monde. Mais cette naissance n'a rien d'un conte et le cours de l'Histoire, un moment suspendu, va bientôt reprendre avec plus de fureur.

Tandis que Gaston s'évertue à jouer les heureux pères, la famille royale respire pour la première fois, après des mois d'angoisse. Au Louvre, depuis l'annonce de la grossesse de Madame, ce n'était un mystère pour personne: Gaston le voyait déjà, ce fils, ce garçon vigoureux qui allait un jour devenir dauphin, le futur roi de France. Tous les espoirs lui étaient permis, puisque, après douze ans de mariage avec Anne d'Autriche, le Roi, son frère, n'avait toujours pas d'enfant. Et lui-même ne tarderait pas à succéder au monarque épuisé. Maintenant, c'en était fini des beaux rêves. A cause, à cause d'une fille... Dans la chambre aux meubles sombres, la Cour se bouscule auprès du bébé, débitant les compliments d'usage. Impénétrable, au plus fort de sa satisfaction, Richelieu reste le courtisan parfait, déguisant sa pensée: « Ma joie eût été entière, déclare-t-il à la jeune mère épuisée, s'il eût plu à Dieu de donner à Votre Altesse un fils au lieu d'une fille... »

Sept jours plus tard, Anne-Marie-Louise d'Orléans perdait sa mère et le ministre laisse la place au cardinal, qui trouve, pour illustrer ce malheur, des accents oratoires dignes d'un Bossuet. Transposant Virgile, Richelieu s'écrie: « Madame qu'on vit en dix mois femme d'un grand prince, belle-sœur des trois premiers et grands rois de la chrétienté, mère et morte tout ensemble. » Sur cette oraison funèbre s'achève le sort tragique de Marie de Bourbon, dont l'histoire n'a rien retenu que le détail des biens immenses apportés en dot à Monsieur.

Gaston versa des larmes de crocodile. Il avait perdu une épouse: il lui restait l'argent. Des femmes, il en trouverait d'autres! On oublia l'altesse défunte pour ne s'occuper que du bébé qui avait eu si grand tort d'être une fille. Mais cette fille-là avait, aux yeux de son père, de quoi se faire pardonner. Elle héritait de la fameuse succession maternelle « la souveraineté de Dombes, la principauté de La Roche-sur-Yon, les duchés de Montpensier, de Châtellerault et de Saint-Fargeau, avec plusieurs belles terres portant titres de marquisats, comtés et baronnies », et quelques autres biens, « le tout faisant 330 000 livres de rente ».

Cette fortune faisait du bébé couché dans la chambre drapée de noir le plus beau parti d'Europe.

Dès qu'elle fut en âge de comprendre, il n'y eut pas besoin de lui répéter deux fois ses titres, ni d'expliquer à l'enfant quel sang coulait dans ses veines. Avant de savoir parler, la Grande Mademoiselle possédait une conscience innée de sa naissance, de ses droits et des obligations qu'on lui devait. Petite-fille d'Henri IV et de Marie de Médicis... Tout ce qu'elle croit tient en ces mots. Le reste n'a pas d'importance.

Installée aux Tuileries une semaine après sa naissance, la princesse va y régner en souveraine pendant plus de vingt-cinq ans. Elle habite le Dôme, dans la partie centrale du palais, ornée de tourelles, de colonnes, de terrasses à l'italienne, tout un ravissant décor dessiné sur mesure pour une jeune fille. Dehors, c'est presque la campagne; au loin la verdure, la butte de Chaillot. En accord avec ce palais de rêve, Mademoiselle possède un train de maison qui n'est pas fait pour la ramener à plus d'humilité. C'est du ton le plus naturel qu'elle raconte: « On fit ma maison et l'on me donna un équipage bien plus grand que n'en a jamais eu aucune fille de France, même pas une de mes tantes d'Espagne et d'Angleterre et la duchesse de Savoie avant que d'être mariées. »

Trois cents domestiques, au bas mot, sont au service de la jeune princesse: valets, filles de chambre, cuisiniers, marmitons, cochers... Marie de Médicis a décidé de donner ainsi à la fille de Monsieur, son fils préféré, une position exceptionnelle. Du coup, Mademoiselle ne s'étonne de rien, vit dans le sentiment très doux de sa supériorité sur le reste de l'univers. Avec les années, son orgueil ne fait que croître, au risque de la rendre franchement insupportable. Enfant, la Grande Mademoiselle n'est pas loin de penser qu'elle est d'essence divine. Le monde entier l'entretient dans cette idée et avant tout Mme de Saint-Georges, personne de grand mérite, dont la mère avait déjà élevé les fils et filles d'Henri IV. C'est elle que Marie de Médicis choisit comme gouvernante pour la petite fille sans mère. L'éducation des filles se réduisait alors à sa plus simple expression. Pas question de faire d'une princesse une femme savante, un bas-bleu qui ferait fuir les courtisans. Ni même de lui inculquer, comme le demandera Molière, « des clartés de tout ». Les figures de la « courante », les révérences, le code des bonnes manières sont les seules matières du programme. Grâce à cette saine conception des études, la plus grande princesse de France apprit tout juste l'alphabet. Elle ignorait la grammaire et l'orthographe, ne savait pas un mot de latin, d'anglais ni d'italien. Les flatteries incessantes de son entourage lui tenaient lieu d'instruction. A une telle école, il fallait une bonne nature pour ne pas sombrer dans un complet abêtissement.

La Grande Mademoiselle finira par triompher de toutes les fadaises chères à la pauvre Mme de Saint-Georges, mais, plus tard, lorsqu'elle devra faire appel à des secrétaires pour l'aider à rédiger ses mémoires, comme elle enviera une Mlle de Scudéry, une Mme de Sévigné, capables de lire les Anciens dans le texte! Pourtant, plus que son inculture, Mlle de Montpensier regrette bien davantage que l'on n'ait rien fait pour écarter d'elle les flatteurs: « Il est très ordinaire, écrira-t-elle, de voir les enfants que l'on respecte et à qui l'on parle de leur grande naissance et de leurs grands biens, prendre les sentiments d'une mauvaise gloire. »

Trente ans après, la princesse cherche à excuser la petite fille vaniteuse des Tuileries, qui exigeait que tout l'univers plie devant sa volonté. On lui doit l'indulgence qu'elle demande. Une armée de serviteurs, une grand-mère en adoration, une gouvernante « gâteau » ne remplaçaient pas la mère qu'elle avait perdue. C'est un vide que les flatteries sont bien impuissantes à remplir.

Pour comble de malheur, l'Histoire et ses intrigues

privent très tôt l'enfant de sa grand-mère et de son père. A la suite de la Journée des Dupes, dont Richelieu ressort plus puissant que jamais, Marie de Médicis disparaît de la scène politique. Un dernier tour au Roi son fils lorsqu'elle s'évade de Blois, et la Florentine quitte la France.

C'est ensuite Monsieur qui joue les insoumis. Toujours en mal de pouvoir, il envahit le royaume à la tête d'une petite armée, s'allie au duc de Montmorency, gouverneur du Languedoc. Que les événements tournent mal et, à son habitude, Gaston fait machine arrière. A la faveur du désarroi général, il épouse à Nancy, contre la volonté du roi, la princesse Marguerite de Lorraine et rejoint sa mère à Bruxelles.

Mademoiselle fête ses cinq ans dans les complots et les révolutions de palais. Elle n'a pas encore l'âge de se mêler de politique. C'est une enfant triste, que rien ne peut consoler de l'absence de son père. « Son éloignement me toucha bien plus que celui de la Reine, et j'eus, en cette occasion, une conduite qui ne répondait point à mon âge. Je ne pouvais me divertir à quoi que ce fût, et l'on ne pouvait même me faire aller aux assemblées du Louvre; ma tristesse augmentait, quand je savais que Monsieur était à l'armée, par la crainte que me donnait le péril que courait sa personne. » Pour lui faire oublier son chagrin, le Roi et la Reine redoublent de tendresse pour elle. Ils l'invitent au Louvre ou à Fontainebleau lorsque la Cour y séjourne. Il n'y a pas besoin d'être grand clerc en psychanalyse pour voir combien l'enfant souffre de l'absence de ses parents. C'est sur Louis XIII et Anne d'Autriche qu'elle reporte tout son besoin d'affection. « J'étais tellement accoutumée à leurs caresses que j'appelais le Roi mon petit papa, et la Reine ma petite maman. Je coyais qu'elle l'était parce que je n'avais jamais vu ma mère. »

Une ombre obscurcit ce tableau de famille, la présence constante de Richelieu, qui a le don de terrifier la petite fille. Dès qu'on prononce devant elle le nom du Cardinal, elle se met tout bonnement à pleurer. Le Cardinal, c'est l'ogre, le méchant homme des contes qui vient manger tout crus les petits enfants. Le front sévère, le long nez bossu, la mince silhouette, et le regard aigu qui transperce l'adversaire, la poursuivent jusque dans ses rêves.

A la Cour, l'enfant reçoit déjà l'hommage des courtisans et des familiers de Monsieur. On lui trouve toutes les qualités, mais Mademoiselle donnerait volontiers ces plaisirs pour seulement apercevoir son père. Enfin, Gaston d'Orléans revient le 8 octobre 1634, et, entre le père et la fille, ce sont des retrouvailles dignes des grandes rencontres historiques. Comme Jeanne d'Arc devant le Dauphin, Mademoiselle reconnaît Monsieur au milieu de tous. « Aussitôt que je sus le retour de Monsieur en France, j'allai jusqu'à Limours à sa rencontre. Je n'avais que quatre ou cinq ans

C'est sous le règne de Louis XIII, époux d'Anne d'Autriche (pl. 2), *que naquit en 1627 la duchesse de Montpensier.*

lorsqu'il s'en alla; il voulut éprouver si après une si longue absence je le reconnaîtrais et, pour n'avoir rien qui le distinguât de ceux de sa cour, il se fit ôter son cordon bleu et puis on me dit: « Voyez qui de tous ceux-là est Monsieur. » En quoi la force de la nature m'instruisit si bien que, sans hésiter un moment, j'allai lui sauter au cou, dont il parut touché d'une merveilleuse joie. » Incapable de résister à tant d'affection, Gaston sentit naître en lui la fibre paternelle.

Pour compenser les années de séparation, il va désormais s'occuper de sa fille. Il réside au Château de Blois, selon le désir de Richelieu qui continue à se méfier de ce prince trop turbulent. Mais Monsieur, qui aime les fêtes et les plaisirs, ne manque pas une occasion de regagner la capitale et, à chaque voyage, sa première pensée est pour la petite princesse. Le 25 janvier 1636, Monsieur donne aux Tuileries, chez Mademoiselle, en l'honneur de la maîtresse de céans, alors âgée de huit ans, un bal comme il les aime. Et l'enfant, qui a déjà hérité de Gaston la passion des luths, des violons et des toilettes brodées de lumière, s'amuse follement. Son père est auprès d'elle, on l'entoure, on admire sa grâce lorsqu'elle danse. Que pourrait-elle désirer de mieux?

Entre deux ballets, Gaston, le léger Gaston, ou, comme disait Richelieu « Sa trop facile Altesse », songe à faire baptiser sa fille, seulement ondoyée à la naissance. Le 17 juillet 1636, la reine Anne et le cardinal de Richelieu tiennent la princesse sur les fonts baptismaux. Pour toute autre, un tel parrain eût été illustre. Ce choix, au contraire, blesse la Grande Mademoiselle au fond de l'âme. Richelieu, l'ennemi intime de son père, et qui n'était même pas prince! Dans ses mémoires, l'auteur préfère ne pas mentionner l'événement.

C'est du retour de son père que date la métamorphose de la princesse. Le bébé, d'une inconsolable tristesse, s'est changé en une petite fille qui ne vit que pour les fêtes. Gaston a donné le signal. La jeunesse de Mlle de Montpensier ne sera qu'un long divertissement bercé au rythme des idylles princières, prétextes à des réjouissances toujours renouvelées. La princesse commence par aller rejoindre son père dans son château de Blois. Monsieur vient l'attendre à Chambord, et, ensemble, ils s'amusent dans le fameux escalier à double révolution, courant l'un après l'autre comme des enfants. « Une des plus curieuses et remarquables choses de la maison est le degré fait d'une manière qu'une personne peut monter et une autre descendre, sans qu'elles se rencontrent bien qu'elles se voient; à quoi Monsieur prit plaisir de se jouer d'abord avec moi. Il était au haut de l'escalier lorsque j'arrivais; il descendait quand je montais et riait bien fort de me voir courir dans la pensée que j'avais de l'attraper. »

Les promenades sur la Loire, les parties de volant et de colin-maillard dans le grand parc, les petits cadeaux, Monsieur ne sait quoi inventer pour séduire Mademoiselle. Il lui trouve même une camarade de jeux idéale. La toute jeune Louison Roger, une de ses maîtresses préférées, qui n'a pas seize ans. Elle est encore en âge de courir avec Mademoiselle dans les galeries du château. Auparavant, la princesse s'était enquise de la moralité de Louison, car elle avait déjà l'amour de la vertu. Une remarque enfantine annonce l'orientation d'une vie étouffée par la pudibonderie: « Maman, dit-elle à Mme de Saint-Georges, si Louison n'est pas sage, quoique mon papa l'aime, je ne la veux point voir; ou s'il veut que je la voie, je ne lui ferai pas bon accueil. » On la rassura et les demoiselles devinrent une paire d'amies.

A la Cour, la pudeur de Mademoiselle est mise à dure épreuve. Les intrigues amoureuses s'étalent complaisamment sous ses yeux et, si jeune soit-elle, l'enfant n'est pas dupe de ce qu'elle voit. Elle nous le dit dans une page de ses mémoires, vrai témoignage de la vie seigneuriale du commencement de ce XVIIe siècle: « La Cour était fort agréable alors, les amours du Roi pour Mme de Hautefort, qu'il tâchait de divertir tous les jours, y contribuaient beaucoup. La chasse était un des plus grands plaisirs du Roi; nous y allions souvent avec lui... Nous étions toutes vêtues de couleur, sur de belles haquenées, richement caparaçonnées; et pour se garantir du soleil chacune avait un chapeau garni de quantité de plumes... Sitôt qu'on était revenu, on allait chez la Reine; je prenais plaisir à la servir à son souper, et ses filles (dames d'honneur) portaient les plats. L'on avait trois fois la semaine le divertissement de la musique, que celle de la chambre du Roi venait donner, et la plupart des airs qu'on y chantait étaient de sa composition; il en faisait même les paroles et le sujet n'était jamais que Mme de Hautefort. Le Roi était de si galante humeur qu'aux collations qu'il nous donnait à la campagne, il ne se mettait point à table et nous servait presque toutes quoique sa civilité n'eût qu'un seul objet. »

L'histoire ne dit pas ce que pensait la petite fille lorsqu'au retour de la promenade, pour être plus tranquille, le Roi s'installait dans le carrosse de sa jeune nièce, avec l'objet de sa flamme. C'est peut-être de ce moment que date le scepticisme de la Grande Mademoiselle à l'égard des relations amoureuses et des compliments que les hommes débitent lorsqu'ils veulent conquérir une dame. Dans le cœur de Louis XIII un amour chasse l'autre. Mme de Hautefort a succédé à Mlle de La Fayette qui est entrée au monastère de la Visitation. C'est la règle du jeu. Sans remords, tout à sa nouvelle conquête, le Roi donne le ton à la Cour. Bals et concerts, feux d'artifice de l'Arsenal et comédies de l'Hôtel de Richelieu... Il en oublie d'être triste comme à l'ordinaire, néglige Anne d'Autriche, se soucie peu de son métier de roi. L'humeur du souverain dépend du bon vouloir de la favorite: « S'il arrivait quelque brouillerie entre eux, tous les divertissements étaient sursis; et si le Roi venait dans ce temps-là chez la Reine, il ne parlait à personne et personne aussi n'osait lui parler; il s'asseyait dans un coin où le plus souvent il bâillait et s'endormait. »

Mais le Roi réserve encore une autre surprise à ses sujets. La plus étonnante de toutes.

CHAPITRE II

La découverte du monde

Alors qu'on n'y croyait plus, que personne n'osait même y songer, éclate la nouvelle des nouvelles, l'événement qui va révolutionner la Cour d'abord et le monde pendant un siècle: Anne d'Autriche est enceinte. Le Roi ne faisait donc pas l'amour qu'avec ses maîtresses! Voilà la révélation qui, en cette fin de décembre 1637, fait l'effet d'une bombe...

Pour Mademoiselle, cette période signifie d'abord une intimité accrue avec la famille royale. On l'invite à Saint-Germain, Anne d'Autriche s'entiche de la jeune princesse, l'accable de bontés, la couvre de cadeaux, ne sachant quoi inventer pour la distraire. Enfin, un jour, au cours d'une conversation, la Reine a cette parole historique, ce mot qui resta gravé à jamais dans le cœur de Mlle de Montpensier et qu'on aurait encore pu y lire le jour de sa mort: « Vous serez ma belle-fille. » Anne d'Autriche était loin de réaliser la gravité de la phrase qu'elle venait de prononcer. De toute façon, le mal était fait. Sur cette promesse, la Grande Mademoiselle va bâtir un roman qui se soldera par une amertume grandissante.

C'est le 5 septembre 1638, avant midi, qu'eut lieu l'événement. Au Château de Saint-Germain-en-Laye le futur Louis XIV fait son entrée dans la vie.

A Paris, l'allégresse fut générale, on illumina, on dansa. Pourtant, Mademoiselle n'a pas l'air de voir les fêtes et les cérémonies qui se déroulent autour d'elle. Elle n'a qu'un sujet de préoccupation. «Vous serez ma belle-fille », a dit la Reine. Mademoiselle ne l'oublie pas.

« La naissance de Mgr le Dauphin me donna une occupation nouvelle: je l'allais voir tous les jours et je l'appelais *mon petit mari.* Le Roi s'en divertissait et trouvait bon tout ce que je faisais. Le cardinal de Richelieu qui ne voulait pas que je m'y accoutumasse, ni qu'on s'accoutumât à moi, me fit ordonner de retourner à Paris. La Reine et Mme de Hautefort firent tout leur possible pour me faire demeurer. Elles ne purent l'obtenir, dont j'eus beaucoup de regrets. Ce ne furent que pleurs et que cris quand je quittai le Roi et la Reine. Leurs Majestés me témoignèrent beaucoup de sentiments et d'amitiés et surtout la Reine qui me fit connaître une tendresse particulière en cette occasion. »

Il n'y a pas à répliquer. Lorsque le Cardinal a parlé, Anne d'Autriche elle-même s'incline, mais Mademoiselle, tout en tremblant, sent grandir en elle son aversion pour l'homme « à la robe rouge ». « Il me dit, écrit-elle, que j'étais trop grande pour user de ces termes (mon petit mari) et qu'il y avait de la messéance à moi à parler de la sorte. » C'est que Richelieu est finalement le seul, avec Mademoiselle, à avoir pris au sérieux la boutade de la Reine et il n'a nullement l'intention de voir la fille de son ennemi personnel s'asseoir sur le trône aux côtés de Louis XIV. Mieux vaut arrêter tout de suite cette plaisanterie pendant qu'il en est encore temps et renvoyer la petite fille aux jeux de son âge. Mademoiselle s'en retourna donc aux Tuileries « fort en colère » et ce fut, si l'on peut le dire d'une jeune personne de onze ans, sa première déception sentimentale.

Mais une autre découverte, autrement plus poignante pour une enfant en adoration devant son père, attendait la Grande Mademoiselle, en 1642, année de l'exécution capitale de Cinq-Mars et de M. de Thou.

Malgré elle, elle fut bien obligée de reconnaître que Gaston d'Orléans, son père vénéré, son meilleur ami, se conduisait dans la vie comme le dernier des lâches. Accusés du crime de lèse-majesté, de conspiration contre le Cardinal, d'alliance secrète avec l'Espagne, Cinq-Mars et son ami de Thou avaient été condamnés à mort et bientôt envoyés « en l'autre monde où je prie Dieu qu'ils soient heureux », ajoutait le Cardinal.

Mais Monsieur, qui faisait partie de la conspiration, s'en était, comme à son habitude, retiré à temps. Et non content d'abandonner ses complices, il les avait lâchement livrés. Mademoiselle savait maintenant que la déposition de Gaston d'Orléans devant le chancelier Séguier avait entraîné les deux hommes dans la mort. « Ce souvenir, gémit-elle, me renouvelle trop de douleur pour que j'en puisse dire davantage. » Comme Mademoiselle dut avoir honte et souffrir pour l'honneur de sa famille!

Tandis que Monsieur, pris de panique, allait tout avouer au Cardinal, Cinq-Mars et de Thou se conduisaient jusqu'au bout en héros de légende. Pour se présenter devant le bourreau, le grand écuyer de France avait choisi son plus bel habit et jeté sur ses épaules un manteau écarlate. Beau comme un dieu, paré de toutes les séductions de la jeunesse et du courage, tel Julien Sorel aux yeux de Mme de Rénal, c'est avec un dernier sourire que Cinq-Mars s'était rendu à la mort.

Sans aucun remords, Monsieur attendait son pardon de la bonté du Roi. Comme il ne doutait pas de l'obtenir, il pensait déjà à autre chose. Pas un mot pour ses compagnons morts par sa faute. Le cardinal de Retz ne nous laisse aucune illusion sur ce triste prince qui réunissait en lui tant de vices et de bassesse. « M. le duc d'Orléans, dit-il, avait, à l'exception du courage, tout ce qui est nécessaire à un honnête homme; mais comme il n'avait rien sans exception de tout ce qui peut distinguer un honnête homme, il ne trouvait rien dans lui-même qui pût suppléer, ni même soutenir sa faiblesse. Comme elle régnait dans son cœur par la frayeur, et dans son esprit par l'irrésolution, elle salit tout le cours de sa vie. Il entra dans toutes les affaires parce qu'il n'avait pas le courage de résister à ceux mêmes qui l'y entraînaient pour leur intérêt, mais il n'en sortit jamais qu'avec honte parce qu'il n'avait pas le courage de les soutenir... »

Avec la mort de Cinq-Mars et la trahison de Monsieur, quelque chose s'est définitivement brisé dans le cœur de la princesse, un sentiment qui ne pourra plus renaître. En perdant sa confiance envers son père, la petite Mademoiselle pénètre dans l'univers des grandes personnes. C'est toute l'innocence de l'enfance qui s'est évanouie d'un seul coup.

Comme pour lui faire prendre conscience qu'elle est en train de vieillir et que les années ont passé, la mort frappe autour de Mlle de Montpensier parmi son entourage le plus proche. Sa grand-mère, Marie de Médicis, disparaît la première, le 3 juillet 1642, quelques mois avant le supplice de Cinq-Mars. La jeune fille s'enferme dans une chambre tendue de noir, se prive de toute visite, comme l'exige l'étiquette de la monarchie, et « dans toute la régularité possible ». Enfin, le 4 décembre 1642, c'est le tour de Richelieu.

Toute la France attendait la nouvelle. Usé par la souffrance, épuisé par les affaires du royaume, on savait que Richelieu était à bout de forces. Mademoiselle ne peut s'empêcher de suivre avec une délectation morbide l'évolution de la maladie. « Son mal empirait tous les jours et il ne put suivre le Roi dans le retour du voyage (campagne du Roussillon). Sa Majesté l'attendait à Fontainebleau où il se rendit quelques jours après. Le sacrifice qu'on venait de lui faire de la tête de M. de Cinq-Mars ne parut pas lui suffire; pour se satisfaire, il voulut que tous ceux qui avaient été les amis de ces malheureux et qui lui faisaient ombrage se sentissent des effets de sa colère. »

Le Cardinal et la jeune princesse sont de la même race. Ils ont la rancune aussi tenace envers leurs ennemis. De la même manière que Richelieu n'a pas su pardonner aux conjurés, Mlle de Montpensier poursuit de sa haine le cadavre du ministre. Elle n'est d'ailleurs pas la seule. Les nobles font à Richelieu une oraison funèbre qui tranche sur l'éloge traditionnel enseigné depuis dans les écoles. « Tant de sang répandu et tant de fortunes renversées avaient rendu odieux le ministère du cardinal de Richelieu », écrit La Rochefoucauld dans ses *Mémoires*. Tandis que Nicolas Caussin, sermonnaire et confesseur du Roi, a ces mots terribles: « Richelieu fit de sa vie un crime, de l'ambition son Dieu, de l'avarice un gouffre, de la France son patrimoine. Néanmoins, il ne laissa pas de trouver des adorateurs, semblables aux Egyptiens qui portaient de l'encens aux crocodiles. » Si elle n'a pas osé s'exprimer elle-même avec cette violence, ce n'est pas la Grande Mademoiselle qui désavouerait un tel jugement.

A ce deuil national qui lui a tant réjoui l'âme, succède dans sa vie une autre mort dont elle ressent, cette fois, un chagrin immense. Elle perd, au début de l'année 1643, la bonne, la trop indulgente Mme de Saint-Georges. C'est plus qu'une gouvernante, c'est une amie sensible, toujours prête à participer à ses joies et à ses peines de petite fille solitaire, que pleure la Grande Mademoiselle. « J'appris le matin, à mon réveil, l'état où elle était; je me levai en grande diligence pour aller lui témoigner par quelques devoirs la reconnaissance que j'avais de ceux dont elle s'était si dignement occupée auprès de moi depuis que j'étais au monde... Je me mis à genoux auprès de son lit, les yeux baignés de larmes; je reçus le triste adieu qu'elle me dit; je l'embrassais, j'étais tellement touchée de sa perte et d'une infinité de bonnes choses qu'elle m'avait dites, que je ne la voulais pas quitter qu'elle fût morte. »

Quel vide maintenant! La mort de Richelieu mettait en jeu les intérêts de la nation, mais celle de Mme de Saint-Georges va bouleverser la vie quotidienne de la jeune fille. Ce qui lui semble autrement plus important!

Mme de Fiesque succéda à la bonne Mme de Saint-Georges. Les débuts furent délicieux, mais de courte durée. Après avoir charmé l'esprit de la princesse en lui racontant « mille contes de son temps », la comtesse se montra sous son vrai jour, autoritaire et pleine de principes. Elle commence par faire dresser un inventaire des bijoux de la princesse pour l'empêcher d'en distribuer; elle vérifie les lettres, contrôle les conversations. Entre les deux femmes s'installe une atmosphère de petite guerre; c'est à qui aura le dernier mot. La Grande Mademoiselle, qui n'a pas l'habitude de se laisser mettre au pas, dépense des trésors d'imagination pour se venger de la gouvernante. Un jour que Mme de Fiesque l'a enfermée dans sa chambre, elle s'échappe, enferme l'autre à son tour et emporte la clé.

« Elle fut quelques heures en inquiétude parce qu'on ne pouvait avoir de serrurier, et sa peine était d'autant plus grande que j'avais enfermé son petit-fils dans un autre lieu, lequel criait comme si je l'eusse maltraité. Je prenais un plaisir non pareil à l'embarras où je m'apercevais qu'elle était, et il n'y avait point de malice dont je ne m'avisasse pour me venger d'elle... »

On pouvait tout obtenir de Mademoiselle par la tendresse. Elle avait tant souffert de l'absence de sa mère que la moindre gentillesse la faisait fondre. Le Roi, la Reine, Mme de Saint-Georges l'avaient bien compris. La seule chose à ne jamais faire était de la brusquer, de contrer cette nature indépendante et irascible.

Malheureusement, Mme de Fiesque appartenait à une famille d'esprits bornés, qui ont des idées d'autant plus arrêtées qu'elles sont sans fondement. Dans sa volonté de dresser Mademoiselle, la gouvernante continue sa politique de brimades. C'est ainsi qu'elle rédige une sorte de mémoire sur la conduite que la jeune fille doit suivre. Le premier article était de faire le signe de croix à son réveil, et tout le reste une suite d'interdictions. Défense, entre autres, d'aller au Cours-la-Reine sans demander la permission à Monsieur. Ce qui était, de la part de la gouvernante, le comble de l'hypocrisie, « car, remarque Mademoiselle, la distance qu'il y a des Tuileries à l'Hôtel de Guise où il logeait me faisait souvent perdre l'occasion de trouver Son Altesse Royale ou d'avoir réponse à temps; et par ce moyen, il y avait bien des jours où j'étais privée du plaisir de cette promenade ». Le Cours, le Cours-la-Reine, qui allait du quai des Tuileries jusqu'à la montagne de Chaillot, était le lieu de toutes les rencontres. « Quatre grandes allées si larges, si droites et si sombres par la hauteur des arbres qui les forment », écrit Mlle de Scudéry dans *Le Grand Cyrus*. Les dames s'y rendaient en petits carrosses découverts, tandis que leurs admirateurs les suivaient à cheval et les complimentaient au passage. Propos galants, potins mondains, futiles bavardages; sous les ombrages, des romans s'échafaudaient, des intrigues se nouaient et se défaisaient aussi vite. Les snobs lançaient la mode et tel gentilhomme était perdu de réputation pour avoir porté des chaussures trop bouffantes ou des gants sans revers. Dans l'esprit de Mademoiselle, le Cours préfigurait le Paradis. Elle n'imagine rien de plus fascinant que cette foule brillante, mais ce qui la comble de joie, par-dessus tout, c'est l'hommage que l'on rend à sa naissance et à son rang. Lorsque passe dans les allées la voiture de la petite-fille d'Henri IV, les carrosses s'arrêtent et les hommes s'inclinent. Pour avoir le droit de vivre de telles minutes, Mademoiselle préférerait être privée de manger. Pourtant Mme de Fiesque maintient son interdiction et c'est ainsi que, par manque de psychologie, elle contribue à développer chez la jeune fille les défauts mêmes qu'elle cherche à combattre. Plus elle grandit et plus Mademoiselle affirme sa fougue et son indiscipline. Ce qui n'était qu'une réaction enfantine envers une éducation mesquine devient une règle de vie. D'abord frondeuse par esprit de contradiction, Mlle de Montpensier le restera jusqu'à sa mort par idéologie politique.

Maintenant elle a seize ans. Marie de Médicis est morte, Richelieu est mort. Le Roi va bientôt suivre son ministre dans la tombe, comme s'il n'avait pas la force de gouverner seul. Louis XIII s'est installé au Châ-

Marguerite de Lorraine fut la deuxième épouse de Gaston d'Orléans et la belle-mère de la Grande Mademoiselle. Cette dernière avait en effet perdu sa mère, Marie de Bourbon, duchesse de Montpensier, quelques jours après sa naissance.

Pl. 3: *Gaston de France, duc d'Orléans, le père de la duchesse de Montpensier et le frère de Louis XIII; l'éternel comploteur sut, grâce à sa lâcheté et à l'impunité que lui procurait son nom, se tirer avantageusement des situations les plus délicates et les plus dramatiques.*

teau-Neuf de Saint-Germain. Tous les jours le pays guette la nouvelle de sa mort, mais à la Cour on n'a pas attendu la fin de cette longue agonie pour commencer à intriguer. Le 14 mai, enfin, le souverain expire en de pieux sentiments. Mademoiselle a vu le Roi sur son lit de souffrance: « Si le pitoyable état où la maladie avait réduit son corps donnait de la compassion, les pieux et généreux sentiments de son âme donnaient de l'édification; il s'entretenait de la mort avec une résolution toute chrétienne; il s'y était si bien préparé qu'à la vue de Saint-Denis par les fenêtres de la chambre du Château-Neuf de Saint-Germain, où il s'était mis pour être en plus bel air qu'au vieux, il montrait le chemin de Saint-Denis par lequel on mènerait son corps; il faisait remarquer à un endroit où il y avait un mauvais pas, qu'il recommandait qu'on l'évitât, de peur que le chariot ne s'embourbât... »

Une nouvelle pièce va commencer. Le décor change, les personnages entrent en scène. Dégoûtée du Louvre, Anne d'Autriche s'installe avec ses deux fils, le petit Louis XIV et le duc d'Anjou, au Palais-Cardinal qui devient le Palais-Royal. Au vieux château féodal des rois de France, la Reine préfère la belle maison à la mode. Elle occupe de luxueux appartements dont les fenêtres et les balcons de fer forgé donnent sur les plus beaux jardins de la capitale. L'avenir est à la Régence et la Régence, c'est le nouvel âge d'or chanté par les poètes. « Ce n'était, dit Mademoiselle, que réjouissances perpétuelles en tous lieux; il ne se passait presque point de jour qu'il n'y eût des sérénades aux Tuileries ou dans la place Royale. »

Paris respire, Paris ressuscite, après la dictature de Richelieu, d'autant mieux que la Régente a choisi comme chef de son Conseil un homme « doux et bénin » et qui ne rappelle en rien son terrible prédécesseur. « On voyait sur les degrés du trône, d'où l'âpre et redoutable Richelieu avait foudroyé plutôt que gouverné les humains, un successeur doux et bénin, qui était au désespoir de ce que sa dignité de cardinal ne lui permettait pas de s'humilier autant qu'il l'eût souhaité devant tout le monde, qui marchait dans les rues avec deux petits laquais derrière son carrosse. »

Pour être inattendue, la manière de Mazarin, puisque c'est évidemment lui, n'en est pas moins efficace: « Il fit si bien, nous dit encore Retz, qu'il se trouva sur la tête de tout le monde, dans le temps que tout le monde croyait l'avoir encore à ses côtés. » La Cour vit dans un rêve. Elle tresse des couronnes au nouveau maître et fait d'Anne d'Autriche son idole. Chacun nage dans le bonheur, et le proclame à haute voix: « La Reine est si bonne... » « Il n'y a plus, disait La Feuillade, que ces quatre petits mots dans la langue française. » Quatre petits mots que Mademoiselle, dans l'inconscience de ses seize ans, chante et danse sur tous les tons.

Mais dans ce concert de louanges, la voix d'un personnage honnête et austère sonne étrangement. Olivier d'Ormesson, qui a plus d'acuité politique que notre princesse, met une ombre à ce tableau idyllique:

> *La Reyne donne tout,*
> *Monsieur joue tout,*
> *Le cardinal Mazarin fait tout,*
> *Le Chancelier scelle tout.*

CHAPITRE III

La chasse à l'homme (1)

« Et, comme elle ne se maria point, à son très grand regret, raconte Saint-Simon, elle fut tout court Mademoiselle toute sa vie... » C'est sous ce nom que la duchesse de Montpensier entre dans l'histoire. Comble de l'ironie pour une princesse dont le premier souci fut de trouver un époux!

Elle s'y met sans tarder et, à peine sortie de l'enfance, fait le recensement des fiancés possibles sur le marché royal. Les yeux bien ouverts sur « tous les adolescents de l'Europe et les barbons célibataires, sur les nouveaux veufs ou sur ceux dont la femme décline... », dit un de ses biographes. Mademoiselle n'est donc pas difficile? pensera-t-on. Pas du tout. C'est que la princesse a de l'homme de sa vie une conception particulière. Peu lui importent les qualités physiques et morales du prétendant, pourvu qu'il soit de très haut lignage. Jeune ou vieux, tendre ou brutal, charmant ou hideux... Mademoiselle laisse à d'autres ce genre de considérations et les galanteries des amants auront longtemps le don de la faire sourire. Lorsqu'on est la petite-fille d'Henri IV, on ne se marie pas par amour, comme une simple suivante. Il faut à Mlle de Montpensier un trône à la mesure de sa Famille et de sa Fortune.

Elle n'a pas tort, après tout, de prétendre si haut. N'est-elle pas le plus beau parti d'Europe? Mais elle se ridiculisera en se jetant à la tête de princes qu'elle n'a jamais vus et qu'elle décourage d'avance par son manque de féminité. Incapable de feindre, la jeune fille manifeste ouvertement à tous ses soupirants qu'elle n'en veut point à leur personne mais à leurs titres, et c'est cette naïveté qui, inévitablement, la perd.

Lorsqu'un jour, enfin, elle rencontrera l'Amour, la Grande Mademoiselle se jettera dans l'aventure avec une passion d'autant plus violente qu'elle aura été si longtemps contenue. Malheureusement il y a un âge pour tout, et en amour, non plus, on ne rattrape pas le temps perdu.

Le premier galant de la série fut le comte de Soissons, un ancien admirateur de sa mère. Fidèle à la famille, il se déclara dès 1635. La fiancée n'a que huit ans et, pour faire sa cour, le comte se borne à envoyer force bonbons et sucreries. Avant d'en arriver aux choses sérieuses, l'infortuné seigneur est tué au combat de la Marfée (près de Sedan). Mademoiselle s'en remet vite et c'est avec philosophie qu'elle commente ses premières fiançailles: « La malheureuse destinée qu'il eut en ses desseins fait bien voir que nous n'étions pas nés l'un pour l'autre. »

Le second de ces messieurs n'eut pas plus de chance. C'était le Cardinal-Infant, Ferdinand d'Espagne, fils du roi Philippe et frère d'Anne d'Autriche. Pour consoler Mademoiselle d'avoir été écartée par Richelieu de « son petit mari », la Reine lui avait dit: « Il est vrai que mon fils est trop petit; tu épouseras mon frère. » Le prince est bon soldat, galant gentilhomme et jouit de biens considérables, autant de mérites qui ne déplaisent point à la petite-fille d'Henri IV. « Pour les qualités de sa personne, ajoute-t-elle, c'était à quoi je pensais le moins... »

En fait, elle n'eut pas le temps de se prononcer que l'Infant était déjà mort d'une fièvre tierce en novembre 1643. A croire que Mademoiselle portait malheur à ses amoureux...

Nullement découragée, elle repart à la charge et, trois ans plus tard, a de nouvelles espérances du côté de l'Espagne. Un autre frère d'Anne d'Autriche, devenu roi sous le nom de Philippe IV, vient de perdre sa femme. Mlle de Montpensier voit immédiatement une place à prendre, et une place digne de son rang: « Le sentiment était que ce roi veuf était un parti pour moi; la Reine me témoigna qu'elle le souhaitait passionnément. Le cardinal Mazarin m'en parla dans ce sens-là (du mariage) et me dit de plus qu'il avait des nouvelles d'Espagne par où il apprenait que cette affaire y était désirée. La Reine et lui en parlèrent quelque temps à Monsieur et à moi; et par un feint empressement de bonne volonté, ils nous leurrèrent tous deux de cet honneur. »

Bientôt, il ne fut plus question de rien et Philippe IV se remaria avec une Autrichienne. Semblable au renard de la fable, Mademoiselle dit par la suite: « J'aurais beaucoup de déplaisir que l'affaire eût été faite; de l'humeur dont je suis faite, je ne voudrais pas être reine pour être aussi misérable que l'était celle d'Espagne. » Il n'est pas dans la manière de la princesse de s'embarrasser de regrets inutiles. Et serait-elle au comble de la déception qu'elle a beaucoup trop d'amour-propre pour s'avouer vaincue!

On ne prit même pas en considération les déclarations du prétendant N° 4. Il portait la couronne, mais Mademoiselle attendait mieux qu'un roi de Pologne, « ses gouttes et la barbarie de son pays »...

C'est à l'automne 1646 que s'ouvre le prologue d'une comédie royale qui mettra plus de cinq ans à se dénouer. Pour cette nouvelle intrigue, Mademoiselle a comme partenaire le prince de Galles, fils de Charles Ier. En Angleterre, le Roi, qui continue la lutte contre Cromwell, se trouve dans une situation tragique. Partout on se bat, le pays souffre et s'impatiente, tandis que la monarchie connaît des heures sombres. Devant ce désordre, Charles décida d'en-

Anne Marie Louise, fille de Gaston d'Orléans et de Marie de Bourbon duchesse de
Montpensier, dite Mademoiselle; morte en 1693.

La Grande Mademoiselle, en son jeune âge.

Le 25 janvier 1636, Monsieur donne aux Tuileries, chez Mademoiselle, en l'honneur de la maîtresse de céans, alors âgée de huit ans, un bal, semblable sans doute à celui-ci.

Pl. 6: *Le cardinal de Richelieu, un des personnages redoutés par les* **Orléans**. *Pour la petite duchesse de Montpensier, Richelieu, c'est l'ogre, le méchant homme des contes qui veut manger tout crus les petits enfants. Le front sévère, le long nez bossu, la mince silhouette et le regard aigu qui transperce l'adversaire, poursuivent la petite duchesse de Montpensier jusque dans ses rêves.*

Le palais des Tuileries, où séjourna souvent, dans son enfance, la duchesse de Montpensier.

voyer son fils en France « pour qu'il y fût en sûreté ». C'est le 18 septembre, la Cour est à Fontainebleau. Avec la Régente, le petit roi et le prince de Condé, Mademoiselle va, à travers bois, au-devant du jeune homme. Il fait beau et les présentations se font sous les arbres. Un prince de seize ans qui montera un jour sur un des plus illustres trônes d'Europe... Une princesse de dix-neuf ans en quête de gloire et d'un royaume... Autour d'eux le décor de la grande forêt... De quoi faire rêver les jeunes filles de Musset, mais pas la Grande Mademoiselle qui détaille froidement l'inconnu: « Assez grand pour son âge, la tête belle, les cheveux noirs, le teint brun et agréable de sa personne. » Si ce n'est pas le coup de foudre, la première impression est néanmoins assez bonne pour que s'entrouvre la perspective de nouveaux horizons conjugaux. Mais la reine d'Angleterre va presser le mouvement. Pour redorer le blason des Stuarts, la bonne Henriette-Marie, une fille d'Henri IV, guigne la fortune de Mademoiselle avec tant d'insistance qu'il est facile de percer son jeu. « Je reconnus dès ce moment que la reine d'Angleterre eût bien voulu me persuader qu'il était (son fils) amoureux de moi; qu'il le lui disait sans cesse; et que si elle ne le retenait pas, il serait venu dans ma chambre à toute heure; qu'il me trouvait tout à fait à son gré. »

A Paris, les attentions de la mère et du fils redoublent. On cajole la princesse, on ne la lâche pas d'une semelle. Sans être dupe de cette sollicitude, la jeune fille se laisse adorer. Le prince de Galles s'empresse auprès d'elle, promène un flambeau pour l'éclairer pendant sa toilette, la suit jusqu'à sa porte, « et ce qui est rare et que je laisse à croire à qui voudra, c'est qu'aux dires du prince Robert, son cousin germain qui lui servait d'interprète, il entendait tout ce que je lui disais, quoiqu'il n'entendît pas le français ». Devant ce miracle de l'amour, la princesse se sent flattée mais reste sceptique, d'autant plus détachée qu'elle a un autre prétendant en tête. Ferdinand III, empereur d'Allemagne, vient de perdre sa femme, et Mademoiselle, qui jusqu'à présent n'a pourtant pas eu de chance avec les veufs, cette fois est sûre de sa victoire. Son imagination bat la campagne. Elle se voit sur le trône, l'empire à ses pieds. Mais au lieu de garder pour elle ses rêves de grandeur, elle met toute la Cour au courant. N'a-t-elle pas la parole de Mazarin de régler lui-même cette affaire-là? C'est comme si la date du mariage était déjà fixée...

Mademoiselle va avoir vingt ans. Sans être franchement jolie, elle possède une fraîcheur éclatante et cet air de santé des enfants qui passent plus de temps à monter à cheval qu'à étudier. Son allure de fille royale, un regard de feu, lui tiennent lieu de vraie beauté. Mais la coquetterie ne lui est pas étrangère; elle interroge son miroir comme toutes les demoiselles et si elle avoue que ses dents ne sont point jolies, elle est fière de sa taille, de ses cheveux blonds et de la blancheur de son teint. Aux jours de fête, elle porte la toilette avec une élégance naturelle que lui envient bien des Précieuses.

En cette année 1647, Mademoiselle touche à l'apogée de sa grandeur et un bal donné tout exprès chez la Reine pour la jeunesse dorée de la Régence lui vaut un immense triomphe personnel, son plus grand succès mondain. Anne d'Autriche avait voulu faire de sa nièce la vedette de la soirée et n'avait laissé à personne le soin d'habiller et de parer la jeune fille: « Une robe toute .chamarrée de diamants avec des houppes incarnates, blanc et noir. » En un mot, « toutes les pierreries de la couronne et de la reine d'Angleterre », qui en possédait encore quelques-unes en ce temps-là. Plus éblouissante que Cendrillon après le coup de baguette magique, Mademoiselle fait son entrée au bal, sans se douter qu'elle va vivre l'un des instants parfaits de sa vie.

Ce qui l'attend à cette soirée est plus beau que tous les rêves. On la place sur un trône élevé de trois marches d'où elle domine la salle ruisselante de lumière, la Cour en train de danser et deux grands princes assis au-dessous d'elle. Louis XIV et le dauphin d'Angleterre sont à ses pieds!

Mademoiselle rayonne, Mademoiselle triomphe! Pas le moindre sentiment de gêne ou de timidité: « Je ne me sentis point gênée à cette place... et ceux qui m'avaient flattée, lorsque j'allais au bal, trouvèrent encore matière le lendemain de le faire. Tout le monde ne manqua pas de me dire que je n'avais jamais paru moins contrainte que sur ce trône et que, comme j'étais de race à l'occuper, lorsque je serais en possession d'un, où j'aurais à demeurer plus longtemps qu'au bal, j'y serais encore avec plus de liberté qu'en celui-là... » On ne peut dire les choses avec plus de simplicité.

Tout ce qu'elle portait en elle de fier et d'indomptable s'est affermi avec l'âge. Comme le duc de Saint-Simon, elle est sûre d'avoir « de grandes choses à faire », mais, hors de la royauté, il n'y a pas de position suffisante pour une héritière de sa qualité. Mademoiselle veut être impératrice et, pour cette couronne d'Allemagne, elle se lance dans une comédie qui dépasse en romanesque toutes ses aventures précédentes. Ayant entendu dire que Ferdinand était dévot, elle se mit à jouer la dévote pour lui plaire. Et comme elle était incapable de rien faire à moitié, elle se laisse prendre à son propre jeu. Pendant huit jours, elle ne dort plus, ne mange plus. Elle se voit déjà enfermée au Carmel et pleure en songeant « à toutes les personnes qui l'aimaient et qui regretteraient sa retraite ». Mais elle resterait inflexible devant les supplications de ses proches. On aurait beau faire et beau dire...

La réaction de Gaston d'Orléans à cette nouvelle lubie de Mademoiselle la ramène durement à la réalité. C'est que Monsieur ne va pas ménager la soi-disant vocation de sa fille. Il voit trop bien les vraies raisons de ce soudain mysticisme: « cela venait de ce qu'on ne travaillait pas assez vite à son gré à la marier avec l'Empereur, lui dit-il ». Mademoiselle bondit sous l'insulte. Personne ne la comprend, elle est bien malheureuse d'être traitée de la sorte, alors qu'elle aimait mieux servir Dieu que d'avoir toutes les couronnes du monde. Mais Monsieur, qui trouve que la plaisanterie a assez duré, se fâche et dit qu'« il prierait la Reine de ne plus la mener dans les couvents ».

Mademoiselle, enfin, réalise le ridicule de la situation et à quelles moqueries elle va s'exposer. Si la Cour était au courant de ses états d'âme, elle ne s'en remettrait jamais. Un éclair de raison la traverse, elle promet qu'elle n'ira pas au Carmel. Cet accès de ferveur, que le poète Segrais taxait de « petite vérole de l'esprit », ne la reprit plus par la suite. Mademoiselle pratiquera sa religion comme il convient à une princesse de France, mais sans excès. Obligée de suivre la Régente dans ses prières, il lui arrive même de s'endormir.

Son amour du cloître lui dura aussi longtemps que ses espoirs d'épouser l'Empereur, mais pas davantage. Ferdinand III n'allait pas tarder à se remarier avec une archiduchesse et Mademoiselle mit le cap vers d'autres princes.

Son choix se porte sur l'archiduc Léopold, frère de l'Empereur qui serait, un jour, pensait-elle, souverain des Pays-Bas. Décidément, elle en veut à la famille. Mais si, avec Ferdinand, elle a su éviter à temps le ridicule, l'affaire de l'archiduc l'entraîne très loin.

A cause d'un projet rocambolesque, elle frôle le scandale, et on a vu la petite-fille d'Henri IV à la veille d'être compromise aux yeux de toute la Cour et peut-être du pays tout entier. Le mal vient d'abord de ce que Mademoiselle a décidé de se trouver toute seule un époux. Depuis le temps que Mazarin, la Régente et son propre père s'amusent à la tromper, elle ne croit plus en personne. C'est elle-même qui s'occupera de ses intérêts, et l'on verra bien de quoi elle est capable. Là-dessus, un nommé Saujon, capitaine des gardes, aussi illuminé que Mademoiselle, lui propose d'arranger son mariage avec l'archiduc, malgré la guerre qui durait toujours entre la France et l'Empire. « Comme j'aime les fous, soit gais, soit mélancoliques, et que je ne croyais pas que cette action pût devenir sérieuse, je l'écoutai. »

Pour corser l'aventure, Saujon ne recule pas devant les entrevues secrètes, les lettres mystérieuses et même l'enlèvement, s'il le faut. Mademoiselle n'aura pas ce plaisir. Saujon est arrêté et la princesse doit comparaître devant un tribunal royal où siègent Monsieur, la Reine et le cardinal Mazarin. Sûre de son innocence, la princesse se présente devant ses juges « avec toute la fierté qu'on peut avoir » quand « on a la raison de son côté ».

« Nous savons, votre père et moi, commença la Reine d'un ton aigre, les menées que vous avez, avec Saujon, et les grands desseins qu'il avait. » Mademoiselle fait l'ignorante et demande de plus amples explications. « Il est fort beau, reprend Anne d'Autriche, qu'une personne qui est attachée à votre service, pour récompense, vous lui mettiez la tête sur l'échafaud. » — « Au moins, ce sera le premier », riposte la jeune fille, avec une insolence dont elle seule est capable.

Faisant allusion à Cinq-Mars, à tous les conspirateurs qui ont péri pour le service de la Reine et de Monsieur, elle renvoie l'accusation à ses accusateurs. Et, passant à l'attaque, elle reproche à Monsieur de n'avoir rien fait pour la marier, et de ne pas la défendre « dans une occasion où sa gloire est attaquée ».

Pendant plus d'une heure et demie, Mademoiselle subit l'interrogatoire, sans céder un pouce de terrain. Son sens de la repartie, son orgueil naturel ne l'abandonnent pas une seconde et lui inspirent des arguments irréfutables. Lorsqu'elle sent sa victoire assurée, elle se permet de prendre congé de la Reine par un « Je crois que Votre Majesté n'a plus rien à me dire », et elle sort, « les yeux plus remplis de colère que de repentir ».

Mais pour avoir fait preuve d'une telle force de caractère, Mademoiselle n'en est pas moins une jeune fille de vingt et un ans. Arrivée chez elle, aux Tuileries, la frondeuse s'écroule. Elle est prise d'une « fièvre double tierce », et dans son délire, le sourire narquois de Mazarin la hante. Au bout de dix jours, le cauchemar est terminé. Mademoiselle célèbre sa réconciliation avec la Reine et son ministre. Le Cardinal lui témoigne qu'il était fort fâché de cette affaire. Mademoiselle fit semblant de le croire, mais en réalité elle ne leur pardonna jamais, ni à lui, ni à Anne d'Autriche, cette blessure d'amour-propre.

Dans cette affaire, Mademoiselle s'était montrée plus imprudente que criminelle, mais cette folie même est caractéristique de son incurable obsession. Fallait-il qu'elle eût envie de se marier, cette grande fille de vingt ans, pour perdre à ce point le sens des réalités! Pourtant c'est bien la même princesse, celle qui ne recule pas devant l'idée d'un commerce avec l'ennemi et celle qui ne cesse de soutenir l'honneur de sa maison avec une morgue sans égale. Jamais, au milieu des bals, des fêtes, de ce long divertissement que fut sa jeunesse, Mademoiselle n'oublie le nom qu'elle porte. C'est là le trait le plus fort de son caractère, plus fort encore que le goût du romanesque.

Elle ne manque pas une occasion d'animer la que-

Le comte de Soissons.

Pl. 9: *Mademoiselle va avoir vingt ans. Sans être franchement jolie, elle possède une fraîcheur éclatante et cet air de santé des enfants qui passent plus de temps à monter à cheval qu'à étudier. Son allure de fille royale, un regard de feu, lui tiennent lieu de vraie beauté... Aux jours de fête, elle porte la toilette avec une élégance naturelle que lui envient bien des Précieuses.*

relle entre les branches cadettes, Orléans et Condés, et chaque fois que sa famille est à l'honneur, elle en tire une vanité immodérée. Bien qu'elle ait commencé très jeune à juger son père (lors de l'exécution de Cinq-Mars trahi par Monsieur), elle n'admet pas qu'un autre le critique. En 1643, elle le reçoit somptueusement aux Tuileries et lui donne les « vingt-quatre violons », que le Roi prêtait aux grands pour les belles occasions, comme si de rien n'était, tandis qu'elle-même avoue « que je ne pus le voir sans penser à eux (Cinq-Mars et de Thou) et que dans ma joie je sentis que la sienne me donnait du chagrin ». Mademoiselle a honte pour la famille. Elle voit sur le nom d'Orléans une tache aussi indélébile que celle que lady Macbeth voit au creux de sa main. Mais que Monsieur accomplisse une action d'éclat et Mademoiselle revit!

Les exploits militaires de Gaston la comblent de fierté. Pour une victoire gagnée au nom du Roi, Anne d'Orléans pardonne tout à ce lamentable père, se rend touchante d'admiration filiale. La capitulation de Gravelines, le 28 juillet 1644, est un des grands souvenirs de son adolescence. Le lendemain, *Te Deum* à Notre-Dame, feux d'artifice rue de Grenelle devant l'hôtel du chancelier Séguier. Mademoiselle préside à toutes ces fêtes avec la superbe d'une fille de héros. Le surlendemain, les réjouissances reprennent au Palais-Royal: « A toutes les fenêtres, il y avait des lanternes de papier où étaient peintes les armes de Leurs Altesses Royales, et pour rendre la cérémonie complète, il y eut bal et collation. Deux jours après, j'en fis autant chez moi. » Le triomphe de Monsieur procure à Mlle de Montpensier une joie comparable à celle qu'elle connaîtra un peu plus tard au bal donné chez la Régente, avec Louis XIV et le prince de Galles à ses pieds! Ce sont toujours des Orléans qui trônent. Seul point de vue important, lorsqu'elle se passionne pour les nouvelles militaires, l'amour de la patrie n'y est pour rien.

Dans le bulletin de victoire, la princesse ne voit que le nom du général. Si c'est le duc d'Enghien, le fils du Grand Condé, comme il arrive le plus souvent, elle en conçoit dépit et jalousie... Au siège de Mardick, le jeune homme avait frôlé la mort de près. Mademoiselle en apprend la nouvelle avec joie, « et l'aversion que j'avais pour lui me fit souhaiter qu'il eût le visage défiguré ». Après la prise de Dunkerque, en 1646, par le même duc d'Enghien, elle refuse d'assister au *Te Deum* de remerciements. Elle ajoute qu'au lieu d'actions de grâces, « il eût mieux valu dire un *De Profundis* pour les morts ». Mademoiselle a toujours des formules bien frappées. Nul doute que les Condés n'apprécient l'esprit de leur cousine.

Entre les deux maisons, la querelle s'éternise, sans cesse aggravée par de nouvelles « piques et picoteries », jusqu'au jour où la victoire de Lens, remportée par Condé sur les Espagnols, dépasse les limites de la rivalité interfamiliale. C'est un vrai cas de conscience qui bouleverse Mademoiselle.

Nous sommes à la fin du mois d'août 1648. Momentanément dégoûtée de la Cour, depuis que « la Reine l'a si fort maltraitée », la princesse est en son château de Bois-le-Vicomte. Dans la paix des champs, elle se remet de ses récentes émotions matrimoniales et s'accorde quelque temps de repos avant de repartir à la découverte de l'oiseau rare. Un matin, au saut du lit, alors qu'elle était à cent lieues de penser à la guerre et aux Espagnols, elle apprend les nouveaux succès militaires de Condé. Pour ménager ses sentiments, on lui présente la chose avec autant de précautions que s'il s'agissait d'une épouvantable catastrophe: « Un jour, après que je fus au Bois-le-Vicomte, la nouvelle vint de la bataille de Lens que M. le Prince avait gagnée. Comme l'on savait l'aversion que j'avais pour lui, personne ne l'osa dire. L'on mit sur ma table la relation qui était venue de Paris, au sortir de mon lit. Je vis ce papier sur ma table, je le lus avec beaucoup d'étonnement et de douleur. Comme je ne devais pas mêler mon aversion à un si grand avantage pour l'Etat, je ne savais comment démêler l'un de l'autre, de cette rencontre je me trouvais moins bonne Française qu'ennemie; je me sauvai et je couvris mes pleurs par les plaintes que je fis de quelques officiers de ma connaissance qui avaient été tués; et comme le bon naturel est louable, principalement aux grands qui sont accusés de n'en guère avoir et surtout aux grands de la maison Bourbon, je m'attirai une louange au lieu d'un blâme que je méritais. Je ne sais comment je pouvais être sensible aux victoires de M. le Prince, il en gagnait si souvent que je devais m'y accoutumer, mais on ne s'accoutume pas à ce qui déplaît. »

Au moins Mademoiselle a-t-elle le courage de ses sentiments. Elle se livre tout entière avec ses qualités et ses défauts, qu'on a de la peine à démêler dans ce tourbillon passionné. Orgueilleuse avant toute chose, jalouse de la gloire des autres, mais consciente aussi de mal agir; chez une fofolle de son genre, ce don d'introspection ne laisse pas d'étonner.

Pendant plusieurs jours, la princesse reste déchirée. « Tantôt c'est sa jalousie qui l'emporte, tantôt sa qualité de Française triomphe de son caractère envieux », dit un de ses historiens. Monsieur met un terme à ce conflit cornélien en ordonnant à sa fille de rentrer à Paris, pour se réjouir avec toute la Cour. Mademoiselle n'a plus le choix.

Le 27 août, elle se rend à Notre-Dame dans le carrosse royal. Encore un *Te Deum* chanté à la gloire des Condés. Séance solennelle, spectacle grandiose sous les voûtes de la cathédrale. L'encens brûle, les trompettes sonnent, tandis qu'au pied du maître-autel les soixante-treize drapeaux conquis sur l'ennemi sont pour Mademoiselle autant d'épines qu'on lui enfonce dans la chair. Ces trophées racontent devant le Roi et la Cour la redoutable armée espagnole et la vaillance d'un héros de vingt-six ans! « Le voyez-vous, s'écriera Bossuet quarante ans plus tard devant le cercueil du héros, comme il vole ou à la victoire ou à la mort?... Quel astre brille davantage dans le firmament que le prince de Condé l'a fait dans l'Europe? Ce n'était pas seulement la guerre qui lui donnait de l'éclat... Son grand génie embrassait tout, l'antique comme le moderne, l'histoire, la philosophie, la théologie la plus sublime et les arts avec les sciences... »

Mais, tandis que la Cour, immobile, est pétrifiée d'admiration, Mademoiselle a la rage au cœur. Plutôt que de reconnaître la grandeur des Condés, elle ferme les yeux et songe à ses problèmes personnels. Assise à côté de Mazarin, qui est de fort bonne humeur, elle en profite pour lui parler de la liberté de Saujon. Entre deux prières, le ministre lui promet « d'y travailler auprès de la Reine ». C'est l'assurance que Mademoiselle attendait pour rompre avec le passé et se lancer tranquillement dans d'autres folies.

Les temps l'y encourageaient. « N'éveillez pas cette grosse beste », disait Richelieu qui connaissait bien son Paris. Trop tard... Aux portes de la cathédrale remplie des accents du *Te Deum*, gronde déjà la rumeur de la ville.

CHAPITRE IV

La chasse à l'homme (II)

Maintenant que le Sicilien a réveillé « la grosse beste », les choses vont aller très vite. Mademoiselle n'a pas le temps de comprendre que Paris déjà se couvre de barricades. En trois mots, le cardinal de Retz, lui, a tout dit sur les débuts de cette révolte à laquelle un jeu d'enfant donna le nom de Fronde: « Le mal s'aigrit, Paris se sentit, il poussa des soupirs; l'on n'en fit point cas: il tomba en frénésie. » Un instant de fièvre qui ouvre les digues du mécontentement et la Révolution est là: « L'on se regardait et l'on ne disait rien... L'on éclata tout à coup, l'on s'émut, l'on courut, l'on cria, l'on ferma les boutiques. »

Mademoiselle, en 1648, ignorait encore tout de l'état de la France. Pour elle, la Fronde signifie d'abord un mouvement perpétuel, des va-et-vient entre les différentes demeures royales, des fuites en pleine nuit, des enlèvements « et ce qui s'ensuit ». Une atmosphère d'agitation qu'elle se prend vite à adorer et où son esprit romanesque s'exalte. Tout ce qui chez elle l'inclinait à la rébellion va trouver dans la Fronde matière à se développer. A force de rêver sur les exploits d'une Mme de Chevreuse, qui à vingt-six ans anime la conspiration de Chalais, passe à l'étranger, se déguise en garçon... Mademoiselle, un jour, n'y tiendra plus. Il faudra aussi qu'elle fasse la guerre. Il n'y a que dans l'action et l'action guerrière qu'elle rassasiera son dévouement à la grandeur.

Mais l'heure de la grande Amazone n'a pas encore sonné et les négociations entre la Cour, le peuple et le Parlement n'empêchent pas Mademoiselle de s'occuper de ses propres affaires et d'étudier des projets d'établissement.

Il était alors question de marier Mlle d'Epernon, sa meilleure amie, au roi de Pologne. Mademoiselle s'avise que la Hongrie est terre voisine de la Pologne et que le roi de Hongrie, fils de l'empereur Ferdinand et neveu de l'archiduc Léopold, est toujours libre. Sans rancune pour la famille. Ainsi les deux amies ne se quitteraient pas... Catastrophe! Mlle d'Epernon entre au couvent, « elle préféra la couronne d'épines à celle de Pologne », ce qui scandalise Mademoiselle, qui a oublié depuis longtemps sa propre crise impérialo-mystique.

Pour se consoler du trône de Hongrie qui s'était volatilisé comme par miracle, il ne reste à la jeune fille que le spectacle austère des conférences entre le

Parlement et la Régence. Adieu les bals, les fêtes et les longues flâneries le long des cours. Adieu les rendez-vous au Jardin de Renard, et les concerts de Lulli, qui semblaient ne devoir jamais finir. Adieu l'insouciance des jeunes années... Mademoiselle prend congé de son adolescence en même temps que l'opinion populaire se déchaîne.

Son éducation politique commence au son des « mazarinades ». Couplets, complaintes, avis burlesques, la somme de ces billets, à une époque où l'impression est difficile, atteint plus de deux cents volumes. Dans les milieux du Parlement comme dans les tavernes, on se délectait de la lecture de ces « mazarinades » qui, littéralement, traînaient dans la boue « le grand Jules ». Le ministre y est traité de tous les noms: « cabaretier », « lombard », « gredin de Sicile », « inventeur de pommades », « moustache collée », « charlatan », « maquereau », sont les sobriquets les plus doux auxquels a droit le favori de la Reine.

Petite fille, Mademoiselle avait appris les chansons contre Richelieu, mais aucune n'avait jamais atteint ce degré de violence. Pour ne pas dire d'obscénité. Bien que ce débordement ne soit pas pour déplaire à Mademoiselle qui déteste le ministre, elle reste farouchement princesse royale. Si elle avait existé, elle enverrait volontiers tous ces drôles à la guillotine. Ces messieurs du Parlement ayant obtenu de la Régence une ordonnance qui limite la toute-puissance royale en matière de justice, Mademoiselle s'indigne: « Il est des crimes qui doivent obliger le Roi de retenir les gens en prison, sans rendre compte des sujets pour lesquels il les y met. » Louis XIV ne dirait pas mieux.

Son premier manifeste politique est un hymne à la monarchie qui ne manque pas de piquant lorsqu'on songe à son futur personnage de Frondeuse: « Il me semble, écrit-elle, que l'autorité d'un seul tient tant de la divinité que l'on devrait avec joie et respect s'y soumettre par son propre choix, quand Dieu ne nous y aurait pas fait naître. Pour moi, je comprends fort bien que, si j'étais née dans une république, je serais toute propre à la révolte, quand même ce ne serait pas pour moi, tant j'estime la monarchie. » Mademoiselle ne devait pas toujours être de cet avis, pense-t-on, et il est facile de la prendre en flagrant délit de contradiction. Mais c'est mal la connaître. Elle a toujours un sophisme en réserve pour justifier sa cause et, plus tard, en tirant le canon sur les troupes royales, elle n'aura qu'à adopter la devise du conseiller Broussel: « Oui, messieurs, il est des occasions où le meilleur moyen de servir les rois, c'est de leur désobéir. »

Mazarin est à portée de la main, tout indiqué pour servir de bouc émissaire. C'est lui le coupable, le fourbe, le galeux d'où vient tout le mal. « Vive le Roi, point de Mazarin. » Avec ce refrain, Mademoiselle et ses amis se donneront facilement bonne conscience. Ou bien, comme Mademoiselle, se contenteront de faire semblant: « Contre le Roi, dit-elle avec infiniment d'humour, je ne vis jamais personne qui avouât d'en avoir été : c'est toujours contre quelque autre personnage que le Roi. »

De plus en plus burlesques, grivoises et caricaturales, les « mazarinades » avaient au moins réussi à rendre irrespirable l'air de Paris pour la Régente et son ministre. C'est la fuite à Saint-Germain, le 6 janvier 1649, dans la nuit et le froid. Triste exode où chacun partit sans bagages. Les courtisans à peine habillés, les femmes ni fardées ni coiffées, et tous se demandant ce que deviendrait Paris livré à la populace.

L'arrivée à Saint-Germain est des plus sinistres. Il était d'usage, à l'époque, de démeubler complètement en hiver les châteaux royaux. A chaque voyage, la Cour était priée d'apporter ses lits, ses draps et ses matelas. Or, le bon peuple de Paris, pour se venger du départ de la Régente, avait bloqué les chariots aux portes de la capitale. Pas d'autre ressource, pour la première nuit, que de coucher sur la paille. L'humeur de la Cour se ressent de tels traitements et les gémissements tournent à la bagarre. Au milieu des visages de naufragés, il n'y a que Mademoiselle pour garder son sang-froid et son sourire. Tant il est vrai que ce sont les grandes circonstances qui révèlent les esprits au-dessus du commun. « Je n'avais point de linge à changer, nous explique Mademoiselle, je n'avais point mes femmes pour me coiffer et m'habiller, ce qui est très incommode; je mangeais avec Monsieur, qui fait très mauvaise chère. Je ne laissais pas pour cela d'être gaie, et Monsieur admit que je ne me plaignais de rien. Pour Madame, il n'en était pas de même, aussi suis-je une créature qui ne m'incommode de rien et fort au-dessus des bagatelles. »

A d'autres les pleurs et les gémissements; à toutes les mauviettes qu'elle méprise. Mademoiselle n'a rien de commun avec des femmes comme sa belle-mère, tout juste bonnes à avoir des enfants, et des filles par-dessus le marché. Le sentiment de supériorité qu'elle ressent à Saint-Germain devant les mines déconfites de ses pareilles la paie largement de toutes les privations qu'elle doit supporter. Lorsque la Paix de Rueil fut faite, le 11 mars 1649, Anne d'Orléans croyait encore n'être arrivée que la veille. Et ces trois mois, qui avaient paru à tout le monde durer une éternité, étaient passés pour elle comme un éclair. Si on lui avait demandé ses impressions, elle aurait pu répondre: « Je me suis beaucoup amusée. » Car Mademoiselle, qui a fait tant de sottises dans sa vie, possédait cette marque d'intelligence de savoir s'adapter à tous les événements et d'en tirer le meilleur. Peut-être parce qu'elle transportait partout avec elle un fol amour de la vie.

De retour aux Tuileries, elle retrouve un Paris sans barricades ni tumulte, un Paris auquel elle ne croyait plus. Puisque la guerre est finie, Mademoiselle rêve déjà aux fêtes qui vont reprendre.

Auparavant, elle doit se rendre au Louvre pour présenter ses condoléances à la reine d'Angleterre. Sur les ordres de Cromwell, Charles Ier avait été décapité, et Mademoiselle admire le courage et « la force d'esprit » de la malheureuse Henriette-Marie, qualités qu'elle tient en très haute estime. C'est au cours de cette visite de deuil que Mademoiselle fait la connaissance du second fils de Charles Ier, le duc d'York: « C'était, dit-elle, un jeune prince de treize à quatorze ans, fort joli, bien fait et beau de visage, blond, et qui parlait bien en français, ce qui lui donnait meilleur air qu'au Roi son frère. »

Mademoiselle ne s'attarde pas à pleurer la mort du souverain anglais. Le Cours-la-Reine l'attend, les réunions mondaines l'appellent. Jamais la promenade ne lui a paru plus attrayante ni les bals plus distrayants. De nouveau, c'est la ronde des fêtes où chacun rivalise de luxe et de richesses. La princesse donne des concerts, des dîners et met tout en œuvre pour marquer les divertissements du sceau de sa personnalité. A la suite de l'exil à Saint-Germain, les élégantes se permettent toutes les extravagances, sans doute par besoin de se défouler après ces mois d'abstinence. Cheveux parfumés de diverses poudres, d'iris, de Chypre et d'Espagne, des mouches un peu partout, près de l'œil, sur le front ou au coin de la bouche. L'originalité des toilettes s'accompagne d'audace dans les mœurs. De tendres caresses s'échangent dans l'obscurité des jardins, tandis que des voix invisibles chantent d'exquises mélodies. Rires et minauderies se mêlent aux accents des sérénades à l'italienne.

Au cours d'une de ces soirées mémorables, Mademoiselle favorise les entreprises galantes d'un dangereux don Juan, M. de Beaufort. On se croirait revenu au temps de l'Age d'or. Un des conseillers de la princesse, l'abbé de la Rivière, va se charger de la rappeler à l'ordre et de lui remettre dans la tête quelques solides vérités qu'elle est en train d'oublier.

Le spectre de son établissement futur réapparaît à l'horizon. Au Château de Compiègne, où s'est installée la Cour depuis le 30 avril, l'abbé passe en revue la liste des mariages manqués ou impossibles. Il faut voir la réalité en face: l'Empereur et le roi d'Espagne sont mariés, le roi de Hongrie est accordé à l'infante d'Espagne, l'archiduc n'a aucune chance d'être jamais souverain des Pays-Bas. Mademoiselle ne veut point des souverains d'Allemagne et d'Italie; en France, le Roi et le duc d'Anjou sont trop jeunes pour se marier et enfin M. le Prince a une femme en parfaite santé. La conclusion de cette belle péroraison, c'est qu'il reste pour Mademoiselle un parti et un seul, et qu'il n'est plus temps de tergiverser: pour la seconde fois, Charles II, le grand Anglais silencieux, entre en scène.

Lord Jermyn, que Mademoiselle appelle, dans ses mémoires, milord Germain, est arrivé à Compiègne pour plaider la cause du jeune monarque. On la poursuit, on l'accable de compliments, on lui vante le fiancé comme un mari sûr. Mademoiselle ne sait que faire, elle demande conseil à chacun. Gaston, toujours aussi mou, la laisse libre d'accepter, mais Mazarin et la Régente la pressent de dire oui. Sans cesse, Anne d'Autriche revient à la charge, assurant sa nièce que le Roi est passionnément amoureux d'elle.

Devant tant d'insistance, la jeune fille a l'impression d'être prise au piège. Elle essaie en vain de se débattre, mais pas un avis désintéressé, pas un regard amical ne viennent à son secours. Elle devine trop bien la signification de ce mariage. Rompre avec une vie agréable pour vivre dans l'inquiétude, vendre tous ses biens pour aider son futur mari à conquérir son royaume. En imagination, elle se voit obligée de liquider ses duchés, ses baronnies, ses vicomtés, toutes les richesses qui font sa gloire. Pourtant, dans sa réponse à M. de la Rivière qui « lui fait la guerre », elle ne laisse rien voir de ses appréhensions: « Si Monsieur veut que j'épouse le roi d'Angleterre tôt ou tard, et qu'il soit persuadé que c'est une chose inévitable, j'aime mieux l'épouser étant malheureux. » Pour la noblesse d'âme, la fille de Monsieur n'a de leçons à recevoir de personne.

Puis, suit un temps d'accalmie où l'on ne parle plus du roi d'Angleterre. Mademoiselle se croit sauvée, jusqu'au jour où la Reine l'accueille par un: « Voilà votre galant qui vient! » Au lieu de l'agacer, la persévérance de Charles II la flatte. Personne jusqu'ici n'a montré tant de volonté à obtenir sa main. Et, dans une volte-face incompréhensible pour la galerie, elle déclare à l'abbé: « Je meurs d'envie qu'il me dise des douceurs; car je ne sais ce que c'est, personne ne m'en ayant jamais osé dire. » Sous ses grands airs de pétroleuse et ses déclarations féministes, Anne d'Orléans a un cœur romantique qu'elle n'avoue pas. Comme toutes les jeunes filles, elle rêve de serments d'amour et de promesses éternelles. Aussi, au jour de la rencontre, Mademoiselle fait-elle preuve d'un raffinement inaccoutumé. Contrairement à ses habitudes, elle passe des heures à se friser les cheveux. Cet accès de coquetterie n'échappe pas à Anne d'Autriche qui s'écrie: « L'on voit bien les gens qui attendent leurs galants; comme elle est ajustée! » Et Mademoiselle, toujours prête à l'insolence, doit tourner sa langue dans sa bouche pour ne pas répondre: « Celles qui en ont eu savent bien comme l'on se met et les soins que l'on prend; et j'aurais pu ajouter que le mien étant pour épouser, c'était avec raison que je m'ajustais... » La princesse se retient juste à temps de donner à la Régente une leçon de morale qui lui aurait coûté cher...

Quelques heures en compagnie de Charles II apprennent à Anne d'Orléans qu'il était bien inutile de se faire belle. Au lieu des paroles enflammées qu'elle

Les prétendants de la Grande Mademoiselle *(pl. 10 à 14).*
Le comte de Soissons (pl. 10) *fut le premier galant de Mademoiselle de Montpensier. Il se déclara dès 1635. La fiancée n'a que huit ans, et, pour faire sa cour, le comte se borne à envoyer force bonbons et sucreries.*

Le cardinal infant, Ferdinand d'Espagne, fils du roi Philippe et frère d'Anne d'Autriche; celle-ci est la tante de la Grande Mademoiselle. Le prince est bon soldat, galant gentilhomme et jouit de biens considérables (ci-dessus).

Ferdinand III, empereur d'Allemagne. Mademoiselle se voit sur le trône, l'Empire à ses pieds.

attendait, son galant ne l'entretient que de chasse, de chiens et de chevaux et, lorsque la princesse l'interroge sur les affaires d'Angleterre, le roi devient muet. Que penser d'un tel monarque? « Je vous avoue que dès ce moment, je résolus de ne pas conclure le mariage, ayant conçu une fort mauvaise opinion, d'être roi et à son âge sans savoir ses affaires. »

Le dîner au château mit le comble à la fureur de Mademoiselle. Il n'y avait vraiment aucune délicatesse chez cet Anglais: « Il ne mange pas d'ortolans », mais se jette comme un goinfre « sur une pièce de bœuf et une gigantesque épaule de mouton. » Un repas (à la « Tom Jones »), qui lève le cœur de la princesse...

Le tête-à-tête dans la soirée n'est pas fait pour favoriser les relations amoureuses. Pendant un quart d'heure, Charles II ne dit mot, malgré tous les efforts de la jeune fille. A la fin, n'y tenant plus, elle interpelle M. de la Rivière et le prend à témoin de l'incapacité de son prétendant: « Venez auprès de moi quand il y sera et vous verrez comment il s'y prend. »

A l'heure du départ, le roi retrouve sa voix pour cette déclaration laconique: « Je crois que M. Germain, qui parle mieux que moi, vous aura pu expliquer mes intentions et mon désir; je suis votre très obéissant serviteur. » Et voilà les seuls mots d'amour que Mademoiselle aura entendus de ce prétendant pour qui elle s'était si bien frisée. « Je suis votre très obéissante servante » réplique Mademoiselle, d'un ton glacé qui cache mal une immense tristesse. Le second épisode du flirt anglais s'achevait sans trouver de dénouement.

Mais c'est une partie qui devait se jouer en trois coups, et il faudra attendre encore deux ans avant que le rideau tombe définitivement sur cette comédie du mariage raté. Une des grandes déceptions de la vie amoureuse de Mademoiselle.

Avec sa naïveté, ses enfantillages et l'incroyable opinion qu'elle avait d'elle-même, Anne d'Orléans était bien partie pour accumuler les expériences malheureuses. Légères ou dramatiques, elle a connu toutes les désillusions. Lorsqu'elle avait une idée en tête, elle s'obstinait au-delà des limites raisonnables, sans jamais s'avouer battue.

En amour, elle avait un faible pour les romans à épisodes: si le présent l'avait déçue, elle attendait toujours mieux de l'avenir. Elle l'a montré dans ses aventures avec le roi d'Angleterre, elle le prouve aussi dans son ambition de devenir impératrice. Car, voici que le trône de Ferdinand III, qui lui avait si bien échappé en 1647, réapparaît à l'horizon, plus brillant que jamais.

Un beau matin, Anne d'Autriche accueille la jeune fille par ces mots: « L'impératrice est morte; c'est à cette fois qu'il faut faire toutes choses pour que vous la soyez. » Mademoiselle rougit de bonheur. La seconde femme de Ferdinand est morte à son tour? C'est à ne pas croire. Le rêve redevient réalité et le manège habituel se met en branle. Le soir même, Mazarin lui promet d'envoyer sans tarder M. de Mondevergue en Allemagne négocier son mariage, et Mademoiselle, à qui l'expérience n'a décidément rien appris, boit les fausses promesses, comme la Bonne Parole. Jusqu'au jour d'octobre 1650 où arrivera la nouvelle du désastre: l'Empereur vient d'épouser la princesse Eléonore d'Este, fille du duc de Mantoue. Cette fois le malheur était irréparable, mais Mademoiselle se consola par une pensée qui la traduit tout entière: « Dieu qui est juste n'a pas voulu donner une femme telle que moi à un homme qui ne me méritait pas. » Ainsi la bonté divine et la vanité de Mademoiselle sont-elles également sauves.

Cependant, de plus grands événements distrayaient la princesse de l'inquiétude de son établissement. Après une accalmie, la Fronde entre dans une phase nouvelle: la guerre des Princes. A la suite du Parlement, les grands du royaume s'opposent au Mazarin. Le ministre décide alors de frapper un coup décisif et, le 2 janvier 1650, il fait arrêter trois arrogants: Condé, Conti et Longueville. « Beau coup de filet, ironise Monsieur, le lion, le singe et le renard... »

L'arrestation des Princes va plonger la France dans une atmosphère de roman de cape et d'épée. Fuites romanesques, enlèvements, amazones déguisées en hommes qui bravent tous les dangers pour défendre la Cause... Ces rebelles qui portent les plus grands noms de France sont des femmes, capables de conduire une armée au combat, de soulever des villes, de conclure la guerre ou la paix. La mode est à la conspiration, à l'exaltation et au courage. A Paris, la Princesse Palatine et Mme de Chevreuse font figure de chefs d'Etat auxquels on vient demander des instructions. A leur tour les duchesses de Montbazon, de Châtillon, entrent dans la lutte contre le Cardinal, tandis que la duchesse de Longueville, sœur de Condé, accumule les exploits guerriers et que Mme la Princesse, femme du même Condé, stupéfie la Cour par un coup d'audace dont personne ne la croyait capable. Par amour de son héros d'époux, elle soulève la ville de Bordeaux contre Mazarin. Comment Mademoiselle serait-elle restée insensible devant tant de bravoure et de romanesque? Secrètement, elle admire le sort de Mme la Princesse et envie ces belles amazones dont elle entend célébrer la vaillance. Son cœur d'abord, et son esprit, sont en train de virer de bord. Elle eut soudain le désir, si jamais l'occasion s'en présentait, de jouer un rôle semblable. L'affaire du siège d'Orléans pointe à l'horizon.

La transformation de la princesse n'échappe pas cependant à la Reine: « Mademoiselle devient furieusement Frondeuse », observe aigrement Anne d'Autriche. Et le Cardinal trouve que la princesse respire par ses fenêtres un air un peu trop « bordelais », dit un des historiens de Mademoiselle. Le ministre n'a pas tort, la transformation sentimentalo-politique de la jeune fille est en train de se précipiter.

La paix est signée avec les rebelles, Mazarin part pour l'exil déguisé en cavalier, les Princes rentrent à Paris, en février 1651, au bout d'une année de prison. C'est l'habituel chassé-croisé des deux partis successivement au pouvoir. La Reine est accablée, mais devant les Princes qui viennent la saluer au Palais-Royal, elle fait bonne figure. « Elle affecta néanmoins de paraître heureuse, quoique personne ne le crût et ne se laissât tromper à cette apparence », ironise Mademoiselle.

Au Luxembourg, au contraire, chez Gaston d'Orléans, l'heure de la réconciliation a enfin sonné. Entre les ennemis mortels de la veille s'improvise un charmant badinage où chacun s'avoue ses griefs passés. C'est avec une tendresse particulière que Mademoiselle mime la scène dans ses mémoires: « M. le Prince me témoigna en particulier avoir été bien aise lorsque Guitaut l'avait assuré du repentir que j'avais d'avoir eu tant d'aversion pour lui. Les compliments finis, nous nous avouâmes l'aversion que nous avions l'un pour l'autre. Il me confessa avoir été ravi lorsque j'avais eu la petite vérole, avoir souhaité avec passion que j'en fusse marquée, et qu'il m'en restât quelque difformité... Je lui avouai n'avoir jamais eu joie pareille à celle de sa prison; que j'avais souhaité que cela arrivât et que je ne pouvais songer à lui que pour lui souhaiter du mal. Cet éclaircissement dura assez longtemps, réjouit fort la compagnie et finit par beaucoup d'assurance d'amitié de part et d'autre. »

A minuit, Monsieur fit servir le souper par un escalier dérobé et l'on fit jouer les violons. Mademoiselle dansa fort tard avec le Prince qui était merveilleux cavalier. Ces retrouvailles entre les cousins, vécues d'emblée sur le ton du marivaudage, ne tardent pas à inspirer à l'imagination de la princesse un nouveau sujet de roman. Elle se prend à rêver d'épouser Condé, le héros du jour, ce capitaine si noble et si farouche dans la bataille. Lorsque Mme la Princesse est très malade au printemps, pendant trois jours, Mademoiselle se voit déjà mariée au grand homme. Malheureusement, Mme la Princesse a le mauvais goût de ne pas mourir et Condé et Mademoiselle auront disparu depuis longtemps, qu'elle traînera encore son mauvais état de santé. La jeune fille n'en oubliera pas pour autant les beaux yeux de M. le Prince... Les deux Frondeurs se retrouveront bientôt dans des circonstances glorieuses.

Cependant Mademoiselle, qui avait si peu de chance en amour, représentait toujours le plus beau parti d'Europe. Un de ses prétendants de la première heure ne l'avait pas oubliée. Pour la troisième fois, Charles II va se manifester. De tous les fiancés de Mademoiselle, c'est à lui que revient la palme de la ténacité.

Récapitulons: Fontainebleau en 1646, Compiègne en 1649, et voici qu'en septembre 1651, le jeune roi, qui s'était battu vaillamment contre les troupes de Cromwell, doit à nouveau s'enfuir de sa patrie. Il arrive à Paris et ses premières visites sont pour Mademoiselle. « Je le trouvai, dit Mademoiselle, fort bien fait et de beaucoup meilleure mine qu'il l'était devant son départ, quoiqu'il eût les cheveux courts et beaucoup de barbe, deux choses qui changent les gens. Je trouvai qu'il parlait fort bien français. »

L'impression est nettement plus favorable qu'aux rencontres précédentes. On danse beaucoup chez Mademoiselle au son des violons et tout ce qu'il y avait à Paris de jeunes personnes et de beaux garçons s'y donnent rendez-vous. Profitant de ces soirées de bal, le roi d'Angleterre « faisait toutes les mines que l'on dit que font les amoureux ».

La reine d'Angleterre, qui voit avec soulagement l'heureuse tournure des événements, croit le moment venu de parler sérieusement du mariage. Mais, comme à Compiègne, Mademoiselle se dérobe, ne dit ni oui ni non, demande du temps pour réfléchir. Mêmes interminables dialogues, mêmes pressions, mêmes interventions.

S'il a fait quelques progrès en galanterie, Charles II

joue son rôle sans passion. La reine ne cache pas qu'elle en veut à l'immense fortune de la princesse. Lord Jermyn de son côté, car il ne faut pas l'oublier, dépense des trésors d'éloquence pour amadouer la jeune fille. Malheureusement pour Charles II, Mademoiselle apprend les propos que le conseiller trop zélé tenait sur elle chez Mme de Beringhen: « Nous retrancherons son train, nous vendrons ses terres. » Anne d'Orléans en eut le souffle coupé. Voilà donc la raison de tant de protestations d'amitié... Maintenant, elle tient la preuve de ce qu'elle n'avait pas voulu croire. Le roman d'amour s'achevait sur une note sordide. Pendant longtemps, il ne fallut plus parler à Mademoiselle de l'Angleterre et des Anglais.

Mademoiselle a vingt-quatre ans. Les uns après les autres, ses rêves d'amour et d'ambition s'étaient brisés, quand elle ne les avait pas détruits elle-même de ses propres mains. C'est qu'en vérité, un seul parti pouvait convenir à cette fille de France: le Roi.

La Palatine (sœur de Marie de Gonzague qui avait épousé Jean Casimir, roi de Pologne), bien placée pour négocier, offrit de la marier avec Louis XIV contre une récompense de trois cent mille écus, en cas de succès. « Le Roi sera majeur dans quinze jours (les rois sont majeurs à treize ans), huit jours après, vous serez mariée. » Mademoiselle ne sait que croire,

Le prince de Galles, futur Charles II d'Angleterre, le seul prétendant sérieusement accepté pendant longtemps par la Grande Mademoiselle. Il était assez grand pour son âge, la tête belle, les cheveux noirs, le teint brun et agréable de sa personne.

Le Grand Condé: il était petit et maigre; « mais à tout prendre, il n'est pas laid », écrira Mademoiselle.

1642

EXECUTION DES SIEURS DE CINQ-MARS, ET DE THOU, CONDAMNEZ PAR ARREST D'AVOIR LA TESTE TRANCHÉE A LION DANS LA PLACE DES TERREAUX, LE 12·SEPTEMBRE, COMME CRIMINELS DE LEZE MAIESTÉ

Les complots se succèdent et parmi eux celui de Cinq-Mars et de Thou, « condamnés par arrêt d'avoir la tête tranchée à Lyon dans la place des Terreaux, le 12 septembre, comme criminels de lèse-majesté ». Gaston d'Orléans, qui faisait partie de la conspiration, s'en était, comme à son habitude, retiré à temps. La duchesse de Montpensier fut bien obligée de reconnaître que Gaston d'Orléans, son père vénéré, son meilleur ami, se conduisait dans la vie comme le dernier des lâches.

Pl. 16: *A l'époque du complot de Cinq-Mars (1642) paraissait cette gravure qui chantait déjà les louanges de la Grande Mademoiselle: « A Anne-Marie d'Orléans qui, se prévalant d'une double dot et du nom d'une reine, doit avoir un époux capable d'être roi. »*

ORTVM NATVRA CORONAT
INTER LILIA FLORE
CANDORE NITESCO
PAR DECORI CAPVT
ANNÆ MARIÆ
AVRELIACÆ.
QVÆ GEMINÆ DOTES REGINÆ, ET NOMINA PRÆFERT,
HÆC REGNATOREM DEBET HABERE VIRVM.
Iustus d'Egmont, Pictor Regius inuentor dicat, et consecrat.

elle vit dans des espoirs fabuleux de grandeur, mais elle entend s'en remettre aux désirs de l'intéressé. Mademoiselle sort à cheval avec Sa Majesté et Mme de Frontenac. Promenades délicieuses à travers les bois.

Le jeune Louis XIV semble ravi de galoper en si charmante compagnie.

La Reine, croyant qu'il était amoureux de Mme de Frontenac, interdit à son fils de poursuivre les promenades. Mademoiselle ne doute pas une seconde que l'interdiction ne soit à cause d'elle. « Je crois que la plus véritable raison de cette défense était dans la crainte que le Roi ne s'accoutumât trop avec moi, et qu'avec le temps, il ne vînt à m'aimer, et m'aimant, ne connût que j'étais le meilleur parti de tous ceux que l'on lui pouvait donner, hors l'infante d'Espagne. »

Les promenades reprirent, mais hélas, tout avait changé. « Il baissait toujours les yeux en passant devant nous, écrit-elle. Je vous avoue que je fus fort fâchée de cela; car je faisais plus de fondement sur la manière avec laquelle le Roi en userait avec moi et le plaisir qu'il prenait en ma compagnie, qu'à toutes les négociations. »

Bien qu'elle eût onze ans de plus que le petit roi, Mademoiselle ne trouvait pas déraisonnable de le vouloir pour époux.

Les fêtes de la majorité royale se passent sans que

s'accomplissent les vœux d'Anne d'Orléans. Puisqu'elle n'a pas su séduire par la douceur, il lui reste à s'imposer par les armes.

En entrant dans la Fronde, Mademoiselle part en guerre pour la couronne de France.

CHAPITRE V

Mademoiselle s'en va-t-en guerre

Les affaires des Frondeurs allaient assez mal. Après quelques succès à l'automne, en Saintonge et en Guyenne, Condé, après la prise d'Angers en février 1652, par les troupes royales, avait décidé de rejoindre Paris, capitale de la Fronde. Accompagné d'un petit groupe de gentilshommes déguisés en valets – dont le duc de La Rochefoucauld et son fils, le prince de Marcillac – traqué par les cavaliers du Cardinal, Condé avait passé difficilement la Loire, aux abords de La Charité. Puis il avait gagné Lorris où une bonne partie de ses troupes avaient pris leurs quartiers.

La Cour était à Blois; les armées du Cardinal et du Roi, qui, sous la conduite de Turenne, cette fois royaliste fidèle, avaient entrepris la reconquête du royaume, remontaient lentement le plus beau fleuve de France.

A Paris, pendant l'hiver, on ne s'était pas ennuyé. Tout avait été prétexte à fêtes aux seigneurs et aux héroïnes de la Fronde. Le plaisir d'un bal passait avant tout; ce gentil petit monde qui mourait si aisément n'avait pas ce que nous appelons la tête politique.

Mademoiselle, à la mi-carême, donna un grand bal au Palais d'Orléans, notre Luxembourg, pour les officiers du duc de Nemours qui venait de ramener des Flandres une troupe de mercenaires espagnols et allemands. On s'y amusa beaucoup, on y persifla le Mazarin, dont un espion écrivait, dans un rapport secret, qu'il se tenait dans ces fêtes des propos inconvenants et que, « selon le bruit commun, les femmes s'y enivraient ». Mais les soldats du Roi entraient, en mars, à Blois. Orléans, apanage de Monsieur, apanage glorieux de la branche cadette, était menacé. Mazarin, habile homme, par la persuasion, l'intrigue, l'argent, incitait les magistrats d'Orléans à ouvrir leurs portes au Roi.

L'art suprême était alors de n'être ni pour l'un, ni pour l'autre. Les bourgeois attendaient. Il fallait pour la Fronde frapper un grand coup: la place de Monsieur était à Orléans! Les bourgeois de sa ville ne refuseraient pas d'ouvrir leurs portes à Son Altesse Royale. Mais Monsieur, dont le courage civique n'était pas la première vertu, tergiversait, promettait, se dédisait et finalement restait au Palais d'Orléans, arguant que sa présence était beaucoup plus nécessaire à Paris. Mademoiselle offrit d'y aller. Si l'on en croit le cardinal de Retz, sa proposition ne souleva pas d'abord beaucoup d'enthousiasme. Monsieur, qui ne prisait qu'à moitié les qualités d'audacieuse spontanéité de sa fille, qualités qui lui manquaient tant, aurait dit: « Cette chevalerie serait bien ridicule, si le bon sens de Mmes de Fiesque et de Frontenac ne la soutenait. »

La veille de son départ — le 25 mars 1652 — Mademoiselle ne put dormir. Couchée à deux heures du matin, levée à sept, elle alla écouter la messe à Notre-Dame, « croyant devoir commencer mon voyage en me mettant en état que Dieu y pût donner les bénédictions que je désirais ». Le départ, après mille civilités et compliments, eut lieu vers trois heures de l'après-midi. Mademoiselle, la tête empanachée, en habit gris tout couvert d'or, rayonnait. Elle savait qu'elle allait à la gloire; elle avait dans sa poche la prédiction du marquis de Vilaine, l'un des meilleurs astrologues d'un siècle qui en connut beaucoup, qui lui avait murmuré avant son départ: « Tout ce que vous entreprendrez, le mercredi 27 mars, depuis midi jusqu'au vendredi, réussira; et même, dans ce temps, vous ferez des choses extraordinaires. »

Dans le carrosse de Mademoiselle, il y avait avec elle tout un « état-major emplumé », la marquise de Bréauté, la comtesse de Fiesque — fille et belle-fille de son ancienne gouvernante — la comtesse de Frontenac. Dans un autre carrosse, M. de Rohan qui est dans la confidence de Monsieur et que celui-ci a placé là, exprès pour chaperonner sa fille dans cette expédition risquée. Des gardes, des exempts, des Suisses, une petite escorte, galopent aux portes des voitures.

Mademoiselle, qui a été acclamée par le peuple à son départ de Paris, est d'excellente humeur. Il fait beau. Le soir on couche à Châtres, aujourd'hui Arpajon. On en repart de bon matin, et tout de suite la féerie guerrière commence. Le duc de Beaufort, qui, comme Mademoiselle, peut se vanter de descendre d'Henri IV, vient la saluer avec quelques officiers. Puis, quelques lieues plus loin, ce sont cinq cents cavaliers des troupes de Monsieur, magnifiquement rangés en bataille, qui lui rendent les honneurs et qui vont l'escorter. Quelque chose s'étant rompu à son carrosse, Mademoiselle, qu'à cela ne tienne, décide de poursuivre à cheval et se fait admirer à la tête de ses troupes qui, écrit-elle, « ont bien de la joie à me voir ».

Le même jour, elle tient à Toury son premier conseil de guerre. Il y a là quelques-uns des chefs militaires les plus fameux de la Fronde: Beaufort, Nemours, Rohan, Clinchamp. Mademoiselle n'est pas du tout intimidée. Bien que Rohan lui fasse les gros yeux, elle tranche de tout. Malgré les conseils de prudence qu'on lui donne, elle décide de franchir la Loire. Et le lendemain, 27 mars, ce 27 mars où tout doit lui réussir, on repart en campagne. Mademoiselle est toujours à cheval. A Artenay, petit bourg proche d'Orléans, le marquis de Flamarens, envoyé par les échevins de la ville, l'attend. Il lui dit que ces dignes magistrats sont bien embarrassés et qu'ils ne veulent la laisser entrer, ni elle, ni le Roi. Aussi lui demande-t-il de s'arrêter aux portes d'Orléans, d'y faire la malade, de rechercher dans une indisposition diplomatique la solution de cette périlleuse affaire. C'était mal connaître Mademoiselle que de lui faire une proposition si basse. Elle entrera coûte que coûte à Orléans.

« A porter les choses tout au pis, ils m'arrêteront. Si cela arrive, je tomberai entre les mains de gens qui parlent même langue que moi, qui me connaissent et qui me rendront dans ma captivité tout le respect qui est dû à ma naissance, et même j'ose dire que l'occasion leur donnera de la vénération pour moi; car, assurément, il ne me serait pas honteux de m'être ainsi exposée pour le service de Monsieur. »

A onze heures, on arrive à Orléans. Mademoiselle et sa suite se présentent à la Porte Banier et la trouvent fermée. On parlemente longuement; au bout de trois heures, Mademoiselle, qui s'ennuie, descend de carrosse, mange les confitures que lui a envoyées le gouverneur, le marquis de Sourdis, et, après s'être reposée un instant à l'auberge — elle porte le charmant nom de Port-du-Salut — va faire le tour des remparts.

Le bon peuple la reconnaît et reprend en chœur le cri de la Fronde: « Vive le Roi, les Princes et point de Mazarin. »

« Je ne puis m'empêcher de leur crier: « Allez à l'Hôtel de Ville me faire ouvrir la porte », bien que les hommes d'expérience qui l'accompagnaient lui aient dit que cette harangue n'était pas à propos.

A la porte suivante, la comédie recommence. La garde, du haut des remparts, lui présente les armes, le capitaine s'incline galamment, mais, d'une mimique suggestive, lui fait comprendre qu'il n'a pas de clés. Mademoiselle, tête en l'air, le harangue: « Rompez cette porte; vous me devez plus d'obéissance qu'aux Messieurs de la ville, puisque je suis la fille de votre maître. »

Continuant son tour des remparts, Mademoiselle arrive à la Loire. Elle est entourée des bateliers du port auxquels tout de suite elle en impose. Mademoiselle sait parler au peuple: « Je leur dis mille belles choses et telles qu'il en faut dire à ces sortes de gens pour les animer à faire ce que l'on désire d'eux. »

Les bateliers séduits, et dûment confirmés dans leur séduction par quelque don d'argent, proposent à la princesse de la faire entrer dans Orléans par une porte qui donne sur un quai de la Loire. La porte est vieille, mais elle résiste, et Mademoiselle, grimpée sur une butte proche qu'elle a escaladée comme un chat, sans craindre de déchirer sa robe garnie d'or aux

RECIT VERITABLE DV DVEL ARRIVÉ ENTRE DEVX SOEVRS PROCHE DE BORDEAV
l'vne pour auoir pris le party & deffendu la Fronde & l'autre l'Espée, dont l'auantage a esté remporté par la belle Frondeuse.

n sur la victoire de la belle
leuse, rapportée sur sa sœur;
chant, de l'amour coquet.
Fronde a donc eu la victoire
t a remporté le dessus,
Dame aura la gloire,
son combat sera sceu
a pû auec la Fronde
l'espée de tant de monde,
ty tout cét embarras
sceu blesser qu'au bras.
generuse Frondeuse,
nirons ce grand combat,
fuste jamais peureuse,
Vous prist vn tel ebat,
m'exerçant vostre Fronde,
renez à tout le monde,
a Fronde cherira
la victoire il aura.
rquoy la Frõde est en regne

Miserable condition des mortels, siecle vrayement de fer & de bronze, mœurs tout a fait corrompuës & gastées, esprits ambitieu reglemens de vos passions, mortels, ouurez les yeux & les oreilles pour voir & considerer cette histoire tragique; n'est-ce pas af hommes se coupes la gorge pour cét honneur, qui n'est qu'vne chimere & qui ne consiste que dans l'imagination, sans que les femme nent aux mains, chose innoüye tant aux siecles passé qu'à celuy où nous sommes; que des femmes, que des parentes, que dis-je, des par des sœurs, se tuent pour vn honneur imaginaire: Ie tremble lors que ie veux raconter vne si funeste histoire.

Cesse mon estonnement, reprend ta parolle ma bouche, délie toy ma langue, quitte ta timidité mon esprit, afin que ie puisse escrire en p le sujet de cette Histoire. Ie diray donc qu'en vne des plus illustre famille de Gascogne, le nom de laquelle ie passeray sous-silence, po renouueller vne douleur qui n'est presque pas encor esteinte, ie me contenteray seulement de dire qu'elle a produit des personnes qu auec eminence, tant dans le barreau que dans les armées, c'est de cette illustre maison d'où sont sorties ces deux genereuses ennemie. L mariée à vn Comte qui n'auoit point son pareil en courage & generosité, que nous appellerons Polidor, la cadette eust pour espoux vn C que nous nommerons Fortunat: Il est a remarquer qu'il auoit autrefois porté les armes, & auoit esté estimé la meilleure espée de son te il fut contraint de ses parens, à la fleur de son âge, de quitter l'espée pour prendre la robe, d'autant qu'il estoit l'aisné de la maison, & c rens auoient tousiours esté de plume; Vous considererez de plus que sa femme s'estoit exercée durant ses ieunes ans, à tuer d'vne fr qu'elle estoit aux champs, à l'imitation de son ieune frere qui estoit preque de son âge, qui fut en suite Capucin, nommé le Pere Cl si estoit renduë si à droite qu'elle frappoit vn oizeau pour petit qu'il fut. Sans nous amuser à particulariser, voyons comme la quer entre ces deux sœurs, la cadete estant mariée depuis peu d'années auoit desia receu plusieurs visites de son aisnée, la cadete ne voulant stre insiuile, fut aussi à son tour visiter son aisnée en vn Chasteau proche de Bourdeaux, apres y auoir passé quelques iours à plusieurs diuertissemens, elles s'entretinrent sur les affaires du temps; par vne telle occasion, la cadete ayant monstré à son aisnée vne fronde de mignonnement faite, l'aisnée prit de là occasion de railler la robbe & la plume & loüer l'espée, ce qu'elle faisoit auec plus de chaleur que la cadete qui estoit d'vn esprit vif, pour maintenir son party, donnoit de bonnes raisons, disans entr'autres choses, que lors qu'on desp

Pendant ce temps, les mazarinades se multiplient: en voici un exemple.

Pl. 17: *Un autre cardinal tient les véritables rênes du gouvernement, Mazarin qui fit si bien, nous dit Retz, qu'il se trouva à la tête de tout le monde, dans le temps que tout le monde croyait l'avoir à ses côtés.*

ronces et aux épines, exhorte ces gens à bien faire. La suite de la princesse était horrifiée; Mme de Bréauté qui était « la plus poltronne créature du monde », maudissait la princesse, pleurait, jurait. Mademoiselle s'amusait follement. Enfin, on vint lui dire que la porte, attaquée vigoureusement de l'extérieur par les bateliers et de l'intérieur par les bourgeois fidèles à Monsieur, allait lâcher.

Il fallait gagner le quai qui dominait le fleuve d'assez haut. Nos bateliers lient deux bateaux, fixent une échelle sur cette plate-forme improvisée, et voilà Mademoiselle engagée dans une ascension périlleuse, d'autant que l'un des barreaux est rompu. Arrivée en haut, la porte tient toujours, mais une assez large brèche a été faite par nos Frondeurs dans sa partie inférieure. Une odeur assez particulière flottait dans l'air.

« Comme il y avait beaucoup de crottes, un valet de pied me prit et me porta et me fourra par ce trou, où je n'eus pas sitôt la tête passée que l'on battit le tambour. Je donnai la main au capitaine et je lui dis: « Vous serez bien aise de vous pouvoir vanter que vous m'aurez fait entrer. » Les cris de « Vive le Roi! les Princes! et point de Mazarin! » redoublèrent. Deux hommes me prirent et me mirent sur une chaise de bois. Je ne sais si je fus assise dedans ou sur le bras, tant la joie où j'étais m'avait mise hors de moi-même; tout le monde me baisait les mains et je me pâmais de rire de me voir en si plaisant état. Après avoir fait quelques rues, portée dans ce triomphe, je leur dis que je savais marcher et que je les priais de me mettre à terre, ce qu'ils firent. Je m'arrêtai pour attendre les dames qui arrivèrent un moment après fort crottées aussi bien que moi et fort aises aussi. »

La victoire de Mademoiselle était complète; les autorités d'Orléans se rendent à son succès et c'est, précédée d'une compagnie de la ville, marchant tambour battant, que la princesse rencontre le marquis de Sourdis qui, comme un préfet de nos jours, se demande quels ennuis va lui attirer cette équipée.

Mademoiselle, habile politique, s'efforce de rassurer tout le monde, et, au milieu des acclamations, on la conduit à son logis. Là, après avoir entendu force discours et reçu tous les honneurs dus à son rang, elle rédige pour Monsieur et les chefs de l'armée, dans l'étonnante orthographe phonétique qui est la sienne, le bulletin de ses victoires de la journée. Après le souper, on se félicite à nouveau, on rit beaucoup; enfin, Mademoiselle va se coucher. Il est trois heures du matin. La princesse vient de vivre le jour le plus long de sa vie.

Le lendemain, 28 mars, elle est debout à sept heures. Après avoir entendu la messe à l'église Sainte-Catherine, la prédiction du marquis de Vilaine toujours dans sa poche, elle fait son tour de ville. C'est elle qui maintenant est en haut des remparts et qui nargue, à ses pieds, les envoyés de la Cour qui demandent aux bourgeois d'ouvrir les portes de la ville aux troupes du Roi.

L'après-midi, après avoir dîné chez l'évêque qui, la veille, lui a humblement demandé l'autorisation de ne pas quitter son évêché, elle se rend à l'Hôtel de Ville pour prononcer un discours devant les échevins. Mademoiselle, qui n'a jamais parlé en public, est dans un grand embarras, mais, avec son audace coutumière, elle se lance en avant, et reconnaissons qu'elle s'en tire très bien. Elle développe les thèmes classiques de la propagande de la Fronde: si l'on veut servir le jeune roi, il faut suivre Monsieur et les Princes, qui n'ont entrepris de chasser Mazarin que pour sauver le royaume.

« Il se trouvera peut-être quelques gens parmi vous qui croiraient manquer à leur devoir en refusant la porte au Roi, c'est le servir, au contraire, en cette rencontre, que de lui conserver la plus belle et la plus importante ville de son royaume. Qui ne sait pas qu'à l'âge où est le Roi, personne ne doit avoir plus de part en ses conseils que Monsieur et M. le Prince, puisque personne n'a plus d'intérêt à l'Etat et à sa conservation? Ainsi, il ne faut que le bon sens pour connaître qu'on doit suivre leur parti, qui est celui du Roi... »

Et, très habilement, dans sa péroraison pour rassurer les bourgeois d'Orléans qui veulent bien crier: « Point de Mazarin », mais qui tremblent de s'attirer la vengeance du ministre dont les troupes ne sont pas loin, elle annonce que Monsieur a décidé d'éloigner de la ville l'armée des Princes.

La journée n'allait pas se terminer aussi bien. Rentrée chez elle, elle apprend que le duc de Beaufort, sans en avoir parlé au duc de Nemours, a attaqué Jargeau et y a perdu beaucoup de gens. La princesse, qui ne prend pas à la légère ses responsabilités militaires, entre dans une vive colère et convoque pour le lendemain un conseil militaire.

Le conseil eut lieu dans une pauvre maison d'un faubourg d'Orléans. Il y avait là beaucoup d'officiers. On parla interminablement. La princesse opina qu'il fallait marcher sur Montargis d'où l'armée pourrait barrer la route de Fontainebleau aux troupes du Roi. M. de Nemours éclata alors qu'en quittant Orléans, on abandonnait M. le Prince et qu'il savait bien qui le trahissait. « Qui? » demande Beaufort. « Vous », répond Nemours.

Les deux hommes se jettent l'un sur l'autre comme des furieux, menacent de s'égorger. La princesse exige des deux gentilshommes qu'ils lui donnent leurs épées, va de l'un à l'autre, parlemente pendant des heures, s'évertuant à les réconcilier. Beaufort, le roi des Halles, grand paladin naïf, dans le jardin lui demande pardon à genoux de son emportement, tandis que Nemours continue de jurer et de tempêter à l'intérieur de la masure. Vers une heure du matin, les deux hommes, un peu calmés, acceptent de s'embrasser avec la plus mauvaise grâce du monde. Quatre mois après, pour une dispute de préséance dans le Conseil de Monsieur, en pleine déconfiture de la Fronde, ils allaient s'étriper à Paris dans un duel affreux, entraînant dans la mort deux braves gentilshommes de leurs amis.

Le lendemain, à son réveil, la princesse reçoit une lettre de son père qui lui rend sa bonne humeur. « Ma fille, vous pouvez penser la joie que j'ai eue de l'action que vous venez de faire: vous m'avez sauvé Orléans et assuré Paris; c'est une joie publique et tout le monde dit que votre action est digne de la petite-fille de Henri le Grand. Je ne doutais pas de votre cœur; mais, en cette action, j'ai vu que vous avez eu plus de prudence que de conseil. Je suis ravi de ce que vous avez fait, autant pour l'amour de vous que pour l'amour de moi. »

Dans les semaines qui suivirent, Mademoiselle organisa sa vie à Orléans; elle allait dans les églises, les couvents, pour y faire ses dévotions; jouait aux quilles dans son jardin avec sa petite cour; recevait M. le maire et les échevins deux fois par jour et le prévôt de police une fois; écrivait à Paris et à l'armée, signait les passeports, faisait saisir les courriers des adversaires qui passaient à proximité et s'amusait à en lire les lettres; « même je me moquais de me voir occupée de ces choses à quoi j'étais si peu propre; et puis je trouvais que j'avais tort, m'en acquittant fort bien; sur la fin, je sortais de la ville; je m'allais promener à cheval et faire collation à toutes les jolies maisons près d'Orléans. »

C'est dans cette atmosphère où la guerre était si rapidement oubliée, que Mademoiselle reçut presque en même temps la nouvelle du retour de Condé sur la Loire et du combat indécis qu'il avait livré à Bléneau aux troupes du Roi, le 8 avril 1652.

« Aussitôt que j'ai été arrivé ici, lui écrivait Condé, j'ai cru être obligé de vous dépêcher Guitaut, pour vous témoigner la reconnaissance que j'ai de toutes les bontés que vous faites paraître pour moi et, en même temps, me réjouir avec vous de l'heureux succès de votre entrée à Orléans. C'est un coup qui n'appartient qu'à vous et qui est de la dernière importance. »

A Bléneau, la grande victoire de la Fronde avait échappé de peu à Condé. Pratiquant la future tactique de Bonaparte, et profitant de la division des forces royales, il s'était jeté sur les troupes du maréchal d'Hocquincourt qui cantonnaient à Bléneau, alors que celles de Turenne étaient en quartiers à Briare, à une vingtaine de kilomètres de là. Chargeant avec sa furie coutumière — il eut ce jour-là un cheval tué sous lui — Condé avait taillé en pièces les dragons et les cravates (croates) du Cardinal, mais Turenne s'étant vivement porté à sa rencontre, il n'avait pas pu exploiter son succès. A la fin de la journée, les deux armées rejoignaient leur camp, mais l'alerte avait été chaude. On dirait aujourd'hui qu'ils avaient fait jeu égal; Retz a écrit qu'il est difficile de juger des deux qui eut plus de gloire. La Cour avait fait charger ses bagages et la Reine, en pleurant, s'était lamentée tout le jour de savoir quelle ville voudrait bien encore ouvrir ses portes au Roi.

Les semaines passant, lassée de collations à la campagne, de promenades à cheval, et de l'exercice d'une autorité dont le côté dérisoire n'échappait finalement pas à son bon sens, Mademoiselle décida de rentrer à Paris. Le 2 mai, elle quitta Orléans; dans le cortège, on se passait de main en main, en renchérissant, la lettre que Monsieur venait d'écrire à Mmes de Fiesque et de Frontenac, dont l'enveloppe portait cette fière inscription: « A Mesdames les Comtesses, Maréchales de Camp dans l'armée de ma Fille contre le Mazarin. » Mademoiselle exultait.

A Angerville, elle quitta son carrosse pour monter à cheval et c'est au milieu du cliquetis des sabres, des gourmettes et du tonnerre des commandements que Mademoiselle fit son entrée à Etampes. L'armée de la Fronde s'y trouvait. Nouveaux défilés, parades militaires; on demande à la princesse s'il faut livrer bataille à l'ennemi, dont l'armée est proche. Bien que son tempérament ardent la pousse à souhaiter la bataille, Mademoiselle répond que c'est l'affaire des gens de métier et, après avoir présidé à un nouveau défilé, elle remonte à regret en carrosse. Quelques kilomètres plus loin, elle traverse les lignes de Turenne qui lui a gracieusement adressé un sauf-conduit, fort dépitée de ne pas être saluée par les généraux de l'armée du Roi, le chapeau à la main et courbés jusqu'au sol.

L'accueil de Paris lui fit oublier sa petite désillusion. Condé et Beaufort étaient allés l'attendre à Bourg-la-Reine. Au Palais d'Orléans, son père l'accueille « la mine assez riante », l'enthousiasme de la prise d'Orléans est passé, il est visible que sa fille l'agace. Mais des rues montent de perpétuelles acclamations. Le bon peuple salue l'héroïne. « J'étais la reine de Paris », dira-t-elle, mélancoliquement, plus tard, comme tant d'autres hommes et femmes qui ont régné éphémèrement sur Paris. Reine de Paris, elle peut croire encore qu'elle sera bientôt reine de France. Condé, Nemours, ce jour-là, lui glissent à l'oreille qu'il ne se fera pas de traité de paix qui ne prévoie son établissement: « Vous serez reine de France. »

L'espoir de Mademoiselle, né auprès d'un berceau onze ans plus tôt, n'allait plus durer longtemps.

CHAPITRE VI

Le jour le plus long

Depuis que Mademoiselle avait glorieusement inspecté les troupes de la Fronde, le parti de Monsieur et des Princes n'avait essuyé que des revers. L'armée de Condé, battue en mai à Etampes, s'était repliée sur Paris, et, à la fin juin, elle était à Saint-Cloud. L'armée royale, commandée par Turenne, occupait les hauteurs de Belleville. Les bourgeois de Paris, de cœur avec la Fronde, mais lassés par une guerre interminable qui répandait la misère et l'anarchie dans le royaume, aspiraient de plus en plus à l'ordre et à la paix. En attendant, ils fermaient leurs seize portes vermoulues aux deux armées et, du haut de leurs remparts, que gardait leur milice, ils regardaient au loin briller les feux des camps ennemis.

Le 30 juin, Condé, ayant appris que Turenne se préparait à l'attaquer, entreprit de conduire ses troupes dans une position plus sûre, vers Charenton, à l'abri de la Marne et de la Seine. Pour cela, il lui fallait contourner tout Paris par le nord, ce Paris trop prudent, dont les portes, malgré ses exhortations et ses cris, lui restaient obstinément fermées. Le 1er juillet, dans la nuit, l'armée se mit en mouvement.

Mademoiselle, qui, dans la journée, a vu avec inquiétude des rassemblements de troupes amies dans le Cours près de la porte de la Conférence, c'est-à-dire à l'extérieur des fossés, ne peut pas dormir. Il est deux heures du matin. Il fait atrocement chaud. Du Château des Tuileries, elle entend dans le lointain, un lointain assez proche, vers l'avenue des Champs-Elysées et nos grands boulevards actuels, la rumeur d'une troupe en marche, les hennissements des chevaux, les roulements des tambours, les commandements des trompettes. Elle reste accoudée au balcon de sa terrasse et elle rêve... Que va être demain? Et tout d'un coup, l'idée s'impose à son esprit que, comme à Orléans, c'est elle qui va tirer son parti d'un grand embarras. N'a-t-elle pas dit la veille à un de ses fidèles: « Je ne prendrai point médecine; car j'ai dans la tête que demain, je ferai quelques traits imprévus, aussi bien qu'à Orléans. »

La nuit se passe; Mademoiselle s'est assoupie quand, à six heures du matin, on frappe violemment à sa porte. Ses femmes se précipitent pour ouvrir, et entre le comte de Fiesque, botté et hagard, qui lui dit que Condé est durement accroché du côté de Montmartre et qu'il supplie qu'on laisse entrer ses troupes par la Porte Saint-Denis.

« Que fait Monsieur? », demande aussitôt la princesse. Monsieur ne fait rien; alerté par Condé, il a fait répondre qu'il se trouvait mal et qu'il devait différer sa réponse. Mademoiselle, qui s'est habillée à la hâte, bondit au Palais d'Orléans où elle a la surprise de rencontrer son père, gaillard et debout. « Je croyais vous trouver au lit », dit-elle. « Je ne suis pas assez malade pour y être, mais je le suis assez pour ne pas sortir », répondit Gaston d'Orléans, en souriant.

Mademoiselle supplie son père de monter à cheval, d'aller au secours de Condé. Rien n'y fait, tout au plus Monsieur accepte-t-il de donner à sa fille une lettre pour les échevins de la ville, leur demandant d'ouvrir les portes de Paris aux soldats de M. le Prince. Mademoiselle se précipite à l'Hôtel de Ville. Rue Dauphine, elle rencontre le marquis de Jarzé, premier blessé de la journée, qui a reçu une balle de mousquet dans le bras. « Je lui dis qu'il était blessé galamment et qu'il portait son bras d'une manière fort agréable. Il me répondit qu'il se serait bien passé de cette galanterie car, comme sa blessure était proche du coude, il souffrait de douleurs horribles. »

A l'Hôtel de Ville, ni le prévôt des marchands, ni le gouverneur de Paris, le maréchal de l'Hôpital, ne montrent beaucoup d'enthousiasme à l'idée d'ouvrir leurs portes à l'armée de M. le Prince. Mademoiselle s'emporte, s'écrie, prend à témoin la foule qui commence à s'amasser devant l'Hôtel de Ville et hue le Mazarin.

« M. le Prince est en péril dans vos faubourgs; quelle douleur et quelle honte ce seraient pour jamais à Paris s'il périssait faute de secours! Vous pouvez lui en donner, faites-le vivement. »

Les deux magistrats, embarrassés, se retirent pour délibérer, laissant seule la princesse qui se jette à genoux devant une fenêtre d'où elle voit le clocher de l'Hôpital du Saint-Esprit, demandant à Dieu d'aider Condé. Enfin, les deux hommes rejoignent la princesse et lui disent qu'ils vont donner les ordres nécessaires pour qu'on ouvre les portes. Mademoiselle a gagné, mais il n'était que temps. Les troupes de M. le Prince, pressées de plus en plus vivement contre le fossé, luttaient pied à pied hors Paris, dans les rues du faubourg Saint-Antoine et de Charonne. On ne comptait plus, des deux côtés, les morts et les blessés. Les canons de Turenne balayaient de leurs feux les dernières résistances.

Mademoiselle se précipite pour annoncer elle-même la bonne nouvelle à Condé. A peine a-t-elle quitté l'Hôtel de Ville qu'elle tombe en plein dans les coulisses de la bataille. Rue de la Tisseranderie, la partie actuelle de la rue de Rivoli qui passe devant le Bazar de l'Hôtel-de-Ville et où, aujourd'hui, se presse la foule des ménagères parisiennes qui, indifférentes aux spectres du passé, vont acheter un moule à gaufres ou un moulin à café, Mademoiselle, saisie d'horreur, regarde passer, de son carrosse, le duc de La

Rochefoucauld, soutenu par son fils et un secrétaire, ruisselant de sang dans son pourpoint blanc.

« C'était M. le duc de La Rochefoucauld qui avait un coup de mousquet qui prenait au coin de l'œil d'un côté et lui sortait par l'autre, entre l'œil et le nez; de sorte que les deux yeux étaient offensés; il semblait qu'ils lui tombassent, tant il perdait de sang par là. Tout son visage en était plein, et même il soufflait sans cesse, comme s'il eût eu crainte que celui qui entrait dans la bouche ne l'étouffât... Je m'arrêtai pour lui parler, mais il ne me répondit pas: c'est tout ce qu'il pouvait faire que d'entendre. »

Dans ses *Mémoires*, La Rochefoucauld, étonnant politique, a écrit qu'il avait souhaité cette cavalcade sanglante dans Paris pour émouvoir le peuple par ses blessures.

Un peu plus loin, elle croise un aide de camp de M. le Prince qui avait reçu « un grand coup de mousquet dans le corps », pâle comme la mort, qu'un valet soutenait sur son cheval, et elle lui crie: « Mourras-tu? » Le brave gentilhomme lui fit « non » de la tête. C'était le dernier grand western français.

Plus elle remontait la rue Saint-Antoine pour rejoindre Condé, plus la princesse voyait de morts et de blessés. Le spectacle était atroce et Mademoiselle conservera longtemps le souvenir des « pauvres morts » du faubourg Saint-Antoine.

« Je trouvai, à chaque pas que je fis dans la rue Saint-Antoine, des blessés, les uns à la tête, les autres au corps, aux bras, aux jambes, sur des chevaux, à pied, sur des échelles, des planches, des civières, des corps morts. Il y eut un cavalier qui était tué et qui demeurait sur son cheval, lequel suivait le bagage avec son pauvre maître; cela faisait pitié. Il y avait de pauvres Allemands qui ne savaient où donner de la tête, ni comment se plaindre, ne pouvant parler notre langue; je les envoyai dans les hôpitaux, chez les chirurgiens, selon leurs grades. »

Arrivée près de la Porte Saint-Antoine, que la Bastille dominait, Mademoiselle décida de s'installer dans la maison d'un maître des comptes, La Croix, et d'en faire son poste de commandement. Condé qui se battait comme un « démon », un « surhumain », disaient ses soldats et ses amis, vint vite les retrouver.

« Il était, écrit Mademoiselle, dans un état pitoyable: il avait deux doigts de poussière sur le visage, ses cheveux tout mêlés; son collet et sa chemise étaient tout pleins de sang quoiqu'il n'eût pas été blessé; sa cuirasse était toute pleine de coups, et il tenait son épée à la main, ayant perdu le fourreau... Il me dit: «Vous voyez un homme au désespoir; j'ai perdu tous mes amis: MM. de Nemours, La Rochefoucauld et Clinchamp sont blessés à mort. » Il était tout à fait affligé, car, en entrant, il se jette sur son siège, pleurant et me disant: « Pardonnez la douleur où je suis... »

« Rien n'est pareil à M. le Prince... » a écrit Mademoiselle le lendemain de ce fameux combat. En effet, rien n'était pareil au prince de Condé dans un siècle où, pourtant, les hommes étonnants abondaient. « Je n'ai pas vu un Condé, j'en ai vu plus de douze », dira un jour Turenne, louant la bravoure du prince au faubourg Saint-Antoine.

Turenne ne croyait pas si bien dire, il n'y a pas eu qu'un Condé dans ces années de guerre, de déplaisirs, de fureur, et le plus vrai n'est, sans doute, pas celui que nous a laissé Bossuet dans sa célèbre oraison funèbre. Si l'expression n'avait pas tellement servi, n'était pas tellement galvaudée, on aurait envie d'écrire que c'était un prince de la Renaissance. On imagine mieux ce prince lettré, héroïque, libertin, n'acceptant de contraintes que celles de son rang et son tempérament, dans une cour italienne du XVIe siècle qu'à celle de Louis XIV. Il avait toutes les prétentions et il les justifiait presque toutes par l'étendue de ses dons. Son ambition était sans limites. Après le Roi, il voulait être le premier dans l'Etat.

Son courage, sa résistance physique étaient exceptionnels. Dans l'équipée qui, au printemps 1652, à travers les pièges que lui tendaient les espions du Cardinal, le conduisit d'Agen sur la Loire, il resta six jours et six nuits à cheval, lassant tous ceux qui l'accompagnaient. Au combat de la Porte Saint-Antoine, entre deux charges, il se faisait dévêtir de ses armes et se roulait dans l'herbe pour rafraîchir son sang, comme une bête, comme un cheval. Et, à côté de ce soldat rude, de ce ruffian intraitable, il y avait le Condé, ami de Mme de Scudéry et des Précieuses, familier de l'Hôtel de Rambouillet, lecteur de *L'Astrée*, admirateur de Corneille, latiniste et helléniste de qualité.

Son insolence était légendaire. Ses facéties, parfois un peu lourdes, bravaient toutes les conventions. Un soir, à la Comédie, un peu avant la Fronde, voyant à côté de lui un gentilhomme dont la perruque avait été si poudrée que le collet de son manteau était blanc de poudre, Condé, d'un doigt farceur, y « fit la représentation d'un membre viril ». Tout le monde rit. Les dévots se scandalisaient, mais n'osaient trop rien dire. Il était de mœurs très libres. On ne compte pas ses maîtresses. On ne peut douter qu'il ait été homosexuel, « goût que, d'après La Palatine, il avait pris dans l'armée », selon une tradition très ancienne.

Un jour qu'il descendait le Rhône avec son ami, le marquis de La Moussaye, et qu'un orage terrible s'était abattu sur le fleuve, Condé se mit à chantonner:

Carus amicus Mussoeus,
Ah! Deus bone, quod tempus!
Imbre sumus perituri,
Landeriri.

Un épisode de la Fronde: Barricades à la Porte Saint-Antoine (26 août 1648).

Un autre épisode de la Fronde: Trois des plus fameux comploteurs sont arrêtés: Condé, Conti et Longueville: « Beau coup de filet, ironise Monsieur, le lion, le singe et le renard. »

A quoi Mussoeus, qui ne manquait ni d'audace, ni d'esprit, répliqua:

> *Securae sunt nostrae vitae;*
> *Sumus enim Sodomitae;*
> *Igne tantum perituri,*
> *Landeriri*[1].

Il était maigre, petit et laid (« mais à tout prendre, il n'est pas laid », écrira Mademoiselle quand elle s'exercera plus tard à tracer un grand portrait en pied de M. le Prince).

Il se vêtait à la diable, complètement indifférent à son habit, en un siècle si coquet en matière de costumes. En un mot, il était fascinant et, en cet été 1652, Mademoiselle était fascinée. Nos héros sont des jeunes gens. Condé a trente et un ans, Mademoiselle vingt-cinq.

Condé laissa Mademoiselle toute rêveuse dans la maison du maître des comptes et repartit au combat. Il croyait que le plus dur était passé et il lui dit qu'il

[1] Cher ami La Moussaye
Ah! Dieu bon, quel temps!
Par cette pluie, nous allons périr,
Landeriri.

En sécurité sont nos vies;
Nous sommes des Sodomites;
Par le feu seulement nous périrons,
Landeriri.

n'y avait plus qu'à « escarmoucher ». Il se trompait. A peine franchie la Porte Saint-Antoine, Condé retomba en pleine bataille.

Les soldats des Princes répugnaient à poursuivre un combat perdu et, malgré l'héroïsme de leurs chefs, ne songeaient guère qu'à sauver leur peau. Les barricades que Condé avait fait dresser rue de Charonne, rue de Charenton, tombaient l'une après l'autre sous le feu meurtrier de l'infanterie de Turenne qui avançait maison par maison. Condé, pareil à un dieu des combats, partout à la fois, sa cuirasse brinquebalante, les courroies coupées par les coups, multipliait les charges.

A l'arrière, Mademoiselle ne restait pas inactive. Elle s'employait intelligemment à aider l'homme qui était devenu son héros. Elle fait rassembler les chevaux à l'ombre, sous les galeries de la place Royale, elle s'occupe des blessés; elle ordonne les renforts, elle fait placer en réserve quatre cents mousquetaires des troupes de Monsieur, boulevard Saint-Antoine et rue de l'Arsenal; elle harangue les colonels de la milice, les adjurant de ne pas trahir la cause de M. le Prince.

Mademoiselle, qui croit encore être à Orléans, sent que sa gloire l'oblige, si elle veut sauver Condé, à quelque grand acte exceptionnel. Au-dessus d'elle, quand elle lève les yeux, elle voit l'imposante Bastille dont les canons de bronze, tournés vers Paris, brillent sur leurs affûts. Le gouverneur de la Bastille, M. de la

Louvière, fils du conseiller Broussel dont l'arrestation, il y a quatre ans, a jeté dans les rues le peuple de Paris, est tout prêt à faire ce que l'on veut, mais à condition d'avoir de Monsieur un ordre écrit. Comme au matin, tout tourne autour de Gaston d'Orléans, de sa prudence, de ses roueries, de ses manœuvres.

Mademoiselle, dans sa maison de la rue Saint-Antoine où tous les bruits du combat si proche lui parviennent, bout d'impatience. Il faut que Monsieur se décide. Elle lui envoie le comte de Béthune pour le supplier d'agir. Et voilà que se présente le prince de Guéméné, porteur de l'ordre inespéré:

« De part Monseigneur, fils de France, oncle du roi, duc d'Orléans. Il est ordonné à M. de La Louvière de favoriser en tout ce qui lui sera possible les troupes de Son Altesse Royale et de faire tirer sur celles qui paraîtraient à la vue dudit château. Gaston. »

Mademoiselle, la feuille en main, escalade allégrement les lourds escaliers de pierre de la Bastille; vingt-cinq mètres ne lui font pas peur. Arrivée au sommet, elle se promène longuement sur les courtines, allant d'une tour à une autre, de la Basinière à la Bertaudière et de la Chapelle au Comté. A-t-elle hésité au dernier moment? elle ne nous le dira pas. Soudain, elle donne l'ordre de « changer le canon » qui était pointé jusqu'alors vers la ville, et de braquer les bouches à feu vers la campagne et les faubourgs.

« Je regardai avec une lunette d'approche: je vis

beaucoup de monde sur la hauteur de Charonne, et même des carrosses; ce qui me fit juger que c'était le Roi, et j'ai appris depuis que je ne m'étais pas trompée. Je vis aussi toute l'armée ennemie dans le fond, vers Bagnolet; elle me parut forte en cavalerie. L'on voyait les généraux sans connaître leurs visages, mais on les reconnaissait à leur suite. Je vis comme ils partageaient leur cavalerie pour nous venir couper entre le faubourg et le fossé, les uns du côté de Popincourt et les autres par Reuilly, le long de l'eau... »

Mademoiselle envoya un page à toute bride à Condé qui, de son côté, observait les mouvements de l'ennemi du haut du clocher de l'Abbaye de Saint-Antoine, pour lui faire part de ses observations et de ses craintes. Condé, pensant qu'il n'y avait plus de déshonneur à rompre le combat, qu'on ne l'accuserait pas « d'avoir fait retraite devant les Mazarins », donna l'ordre à ses troupes épuisées d'entrer dans Paris.

Au même moment, Mademoiselle quittait la Bastille. Contrairement à une légende bien ancrée et que de nombreuses gravures et estampes ont perpétuée, Mademoiselle, la mèche à la main, n'a pas, elle-même, tiré le canon. Combien de coups, de « volées », ont-ils été tirés sur les troupes du Roi? Mademoiselle nous dit « vingt volées »; le mot est ambigu. Littré écrit qu'il signifie aussi bien une salve qu'un coup de canon. Mais ces « volées » avaient fait mouche.

Aux premiers coups de canon, Mazarin et la Cour s'étaient réjouis. Personne ne doutait que la Bastille ne tirât sur Condé. A la deuxième salve, le Maréchal de Villeroy, plus perspicace, opina: « J'ai peur qu'il tire sur nous. »

Tous mêlaient Mademoiselle à cet exploit. « C'est peut-être Mademoiselle qui est allée à la Bastille et l'on a tiré à son arrivée », disaient les optimistes, tandis que le maréchal de Villeroy, encore lui, ajoutait: « Si c'est Mademoiselle, ce sera elle qui aura tiré sur nous. »

Les boulets, bien pointés, tombaient sur les troupes royales. Tout un rang de cavaliers était fauché. Turenne donna l'ordre de cesser le combat et de ramener les troupes dans leurs quartiers.

Mademoiselle regardait défiler dans Paris les troupes qu'elle venait de sauver; elle était heureuse et fière, mais surprise, aussi, d'y voir tant d'Espagnols. Fille de France, elle sentait là comme le peuple de Paris qui n'avait pas oublié la Ligue.

« J'avoue que ce m'était une grande satisfaction et en même temps un grand étonnement de penser que j'avais fait aussi rouler les canons du roi d'Espagne dans Paris et passer les drapeaux rouges avec les croix de Saint-André. »

Affreusement lasse, elle regagna le Luxembourg, mais elle ne put dormir. Elle revoyait la journée, cette journée où elle avait fait tant de choses, depuis son départ pour le Luxembourg jusqu'aux tirs des canons de la Bastille, les morts, les pauvres morts, les blessés, le duc de La Rochefoucauld sanglant sur son cheval, Condé, la cuirasse bosselée, le sabre à la main, chargeant les Mazarins. Elle ne savait pas que, ce soir-là, le Cardinal avait dit à Charonne, avec son étonnant accent italien, mettant fin à toutes ses chimères, à tous les projets, s'il n'y en avait eu, d'union de Mademoiselle et du Roi: « Ce canon-là vient de *touer* son mari. »

Quatre mois après, c'est Condé qui allait pour toujours s'éloigner d'elle. La Fronde avait perdu la partie; Condé quittait Paris pour aller continuer la guerre aux frontières avec les Espagnols. M. le Prince était fort beau ce jour-là. Il avait un habit couleur de feu « avec de l'or, de l'argent et du noir sur du gris et l'écharpe bleue à l'allemande sous un justaucorps qui n'était pas boutonné ».

Mademoiselle, en le voyant partir, pleura longuement. Elle versait ses premières larmes de dépit et d'amour.

Comment aurait-elle pu penser que lorsqu'elle le retrouverait plus tard sur sa route, dans le grand amour de sa vie, elle aurait affaire à un ennemi implacable et rusé?

CHAPITRE VII

Déjà le temps perdu...

Déjà Mademoiselle ne pense plus aux morts de la Porte Saint-Antoine, qui pendant des nuits avaient troublé son sommeil. Ses vingt-cinq ans se grisent de plaisirs et de gloire militaire. Jamais elle n'a été plus heureuse et insouciante du lendemain... « quand le bruit courut que le Roi venait et que nous serions tous chassés ». Alors, c'est la débandade des Frondeurs, la fuite à l'étranger, la honte qui succède aux honneurs.

A peine Condé et les Princes ont-ils abandonné la capitale que Mademoiselle reçoit en son appartement des Tuileries l'enveloppe cachetée au lys de France. Elle n'a pas besoin de l'ouvrir pour en savoir le contenu. Louis XIV lui désigne la route à prendre: l'exil. Est-ce qu'il lui faut vraiment quitter le palais de son enfance, tous ces objets familiers qui formaient son univers? Les miroirs, les tapisseries, les beaux meubles qui lui évoquent tant de fêtes heureuses, tant de visages...

Mademoiselle en appelle à son père, le supplie de

la loger. Pour toute réponse, Gaston d'Orléans a l'audace de lui faire des reproches:

— Et la prise d'Orléans, et l'affaire Saint-Antoine, vous avez été bien aise de faire l'héroïne!

Indignée de la lâcheté de ce triste personnage, Mademoiselle a une de ces répliques qui en disent long sur sa nature chevaleresque:

— J'ai fait l'une et l'autre de ces deux choses par votre ordre; et si c'était encore à recommencer je le ferais, puisque c'était mon devoir de vous obéir et de vous servir... Je ne sais ce que c'est que d'être héroïne: je suis d'une naissance à ne jamais rien faire que de grandeur et de hauteur en tout ce que je me mêlerai de faire.

Mademoiselle cite ses auteurs. Par sa bouche, c'est Corneille qui réplique à Gaston d'Orléans. Décidément, le père et la fille ne parlent pas la même langue. « Où voulez-vous donc, monsieur, que j'aille? » — « Où vous voulez. »

Mademoiselle fait le tour de ses relations. Une nuit chez l'un, une nuit chez l'autre. La princesse quitte Paris sous un déguisement, ce qui lui vaut de plaisantes aventures. Dans une auberge, un capucin lui vante les mérites d'Anne d'Orléans; et la princesse ne se fait pas prier pour rapporter le dialogue:

« Quoi, dit-il, vous ne savez pas qu'elle a sauté les murailles d'Orléans pour y entrer et qu'elle a sauvé la vie à M. le Prince à la Porte Saint-Antoine? » Je

Le retour provisoire à la paix: il ne reste pour la jeune fille que le spectacle austère des conférences entre le Parlement et la Régence. Pourtant la Grande Mademoiselle rêve déjà de gloire, à en juger par ce portrait, où elle a revêtu la cuirasse et tient une lance.

La reine Anne d'Autriche et Louis XIV reçoivent les principaux chefs de la Fronde, après leur retour à Paris.

Au moment où la Fronde reprend de plus belle contre Mazarin, les grandes dames s'en mêlent. Madame de Chevreuse (ci-dessus) *fait figure de chef d'Etat auquel on vient demander des instructions, tandis que la duchesse de Longueville* (pl. 24), *sœur de Condé, accumule... les exploits guerriers.*

Enfin Madame de Montbazon fait partie (pl. 27), *elle aussi, des modèles que la Grande Mademoiselle rêve d'imiter.*

24 *La duchesse de Longueville.*

lui dis que j'en avais entendu parler. Il me demanda: « Ne l'avez-vous jamais vue? » Je lui dis que non. Il se mit à me dépeindre: « C'est une grande fille de belle taille, grande comme vous, assez belle... »

Mademoiselle est aux anges. Cet incognito romanesque, le récit de ses propres mérites, l'ont mise en joie. Encore une halte chez Mme Bouthillier à Pont-sur-Seine, puis c'est la grande décision et le départ pour Saint-Fargeau. « Je savais assez, dès ce temps-là, écrit-elle, à quoi m'en tenir et qu'à quatre jours tout au plus l'on allait et venait de Saint-Fargeau à Stenay, qui était un lieu où M. le Prince passerait les hivers; qu'ainsi j'étais proche du monde, de mes amis, et pourtant dans le plus grand désert du monde... »

C'est en effet un autre monde qui attend Mademoiselle au fond de la sombre demeure de Saint-Fargeau. Un univers où les fêtes n'ont pas cours, ni les folles divagations des esprits romanesques. Lorsqu'elle entre dans la seconde partie de sa vie, « la reine de Paris » n'est plus qu'une « princesse sans divertissement ».

L'arrivée à Saint-Fargeau, dans une nuit noire, après vingt-deux lieues de voyage, avait de quoi déprimer même une jeune femme de la trempe de Mademoiselle:

« Il fallut mettre pied à terre, le pont étant rompu. J'entrai dans une vieille maison où il n'y avait ni porte ni fenêtres et de l'herbe jusqu'aux genoux dans la cour: j'en eus grande horreur. L'on me mena dans une vilaine chambre où il y avait un poteau au milieu. La peur, l'horreur et le chagrin me saisirent à tel point que je me mis à pleurer: je me trouvais bien malheureuse, étant hors de la Cour, de n'avoir pas une plus belle demeure que celle-là et de songer que c'était le plus beau de tous mes châteaux. » Du luxueux décor des Tuileries aux murs délabrés de la vieille forteresse, la chute était rude, et, sous le coup, Mademoiselle en resta quelques jours accablée.

Cependant, la princesse n'avait pas tiré le canon au faubourg Saint-Antoine pour s'effondrer ensuite comme une petite fille. Elle se doit à elle-même de rester digne de son personnage de Frondeuse et, un beau matin, elle décide de réagir. Ce serait faire le jeu de l'ennemi que de se laisser abattre. On a cru l'humilier: elle va montrer à la Reine et à Mazarin qu'elle est au-dessus de leurs petites vengeances et qu'ils n'ont pas réussi à la vaincre. Après la gloire des combats, les travaux plus humbles de la maison.

La première chose à faire pour retrouver la joie de vivre est de rendre Saint-Fargeau habitable. La guerrière se découvre une âme de propriétaire amoureuse de ses terres, et plus elle avancera dans son exil, plus la princesse s'attachera à ce château qu'elle nomme avec tendresse « mon Saint-Fargeau ». Elle commence par se faire aménager un logement agréable, avec un petit cabinet qu'elle décore à son goût:

« Après avoir été huit mois dans un grenier, je me trouvais logée comme dans un palais enchanté. J'ajustais le cabinet avec force tableaux et miroirs; enfin je croyais avoir fait la plus belle chose du monde. »

Mademoiselle va pousser plus loin, encore, ses ambitions architecturales et, à l'automne 1654, elle se met « à bâtir pour de bon ». Comme d'habitude, à la guerre comme en amour, ou pour restaurer ses vieilles tours, elle ne fait pas les choses à moitié. Elle convoque le sieur Le Vau, architecte du célèbre Château de Fouquet. Le Vau travaille près de trois ans, Mademoiselle dépense une fortune, mais le résultat en vaut la peine et, de toutes manières, la fierté de la maîtresse de céans n'a pas de prix: « ... ceux qui le verront le trouveront assez magnifique et digne de moi... »

Lorsque le dernier coup de peinture est donné, la jeune femme installe la Galerie des Portraits. C'est la touche finale. Et sous le regard fixe d'Henri IV et de Marie de Médicis, ses grands-parents, du roi et de la reine d'Espagne, du roi et de la reine d'Angleterre, d'Anne d'Autriche et de Louis XIV, son cousin germain et chéri, de Monsieur et de M. de Montpensier, son aïeul maternel... Mademoiselle se sent enfin chez elle.

Pour faire visiter ses appartements, nous dit-elle, elle a autant de complaisance devant son œuvre que la Reine, sa grand-mère, « lorsqu'elle montrait son Luxembourg » et les toiles de Rubens.

Une découverte va achever de la payer de ses peines. Tout en bâtissant, Mademoiselle exhume les archives de Saint-Fargeau, déchiffre de vieux manuscrits, en un mot apprend sa généalogie. Elle a le plaisir de s'entendre confirmer, ce dont elle ne doutait pas, que « tout ce qu'elle possède lui est venu par de bonnes voies, et qu'elle en aurait encore davantage si l'on lui rendait tout ce que l'on a à elle ». Un homme de l'art, le sieur d'Hozier, l'initie à la science héraldique. Ce fidèle gardien de l'armorial de France, « juge et surintendant des blasons », dit Tallemant, après une semaine de travail à Saint-Fargeau, rend son verdict à Mademoiselle: « Il me fit connaître que j'étais de la plus grande et de la plus illustre maison du monde... » Ce qui n'est pas désagréable à savoir, même lorsqu'on n'a jamais soupçonné autre chose.

Mais Mademoiselle, à Saint-Fargeau, ne se laisse pas seulement bercer par de douces paroles. Elle se heurte à la réalité la plus quotidienne et doit s'atteler à des problèmes pratiques qui n'ont d'abord aucun sens pour elle. Ce n'est certes pas sa jeunesse dorée et le luxueux décor des Tuileries qui la préparaient à une vie campagnarde. Si la bonne Mme de Saint-Georges, la gouvernante de son enfance, avait pu voir sa petite fille chérie en train de se battre avec les livres de comptes, elle serait morte de stupéfaction. « Qui m'aurait dit, du temps que j'étais à la Cour, que j'aurais su combien coûtent la brique, la chaux, le plâtre, les voitures, les journées des ouvriers, enfin tous les détails d'un bâtiment, et que tous les samedis j'aurais arrêté leurs comptes; et (cependant) j'ai fait ce métier-là un an et plus. »

C'est dit avec plus d'humour que d'amertume. Mademoiselle a trop de noblesse de caractère pour gémir sur l'inévitable. Il y a les événements qui dépendent de nous, et ceux qui n'en dépendent pas. L'exil à Saint-Fargeau appartient à cette catégorie d'épreuves; autant s'en accommoder du mieux possible. Sans être le moins du monde instruite en philosophie, Mademoiselle retrouvait inconsciemment le sens de l'acceptation du destin, à la manière du stoïcisme antique: « Je lisais les gazettes et les relations que l'on m'envoyait. Elles me divertissaient à l'ordinaire à parler bals, comédies et ballets. Tout cela ne me touchait point; je songeai que j'en verrais encore assez à mon retour... » Il n'en était pas de même pour les personnes de son entourage, Mme de Fiesque et Mme de Frontenac, « car rien n'égalait leur chagrin de ne pas être à toutes ces fêtes... » Mademoiselle avait tout aussi envie d'aller danser, mais entre son courage et les lamentations de ses suivantes, il y avait une différence de qualité d'âme.

Le résultat d'une telle constance dans l'adversité fut que Mademoiselle devint très experte dans ses fonctions d'intendante. Un jour qu'elle se promène avec un expert dans son domaine, celui-ci lui déclare: « Vous savez notre métier comme nous et vous parlez de vos affaires comme un avocat. »

Restaurer Saint-Fargeau, apprendre la généalogie, payer les ouvriers, administrer la propriété... Dans la journée Mademoiselle n'a pas le temps de s'ennuyer, et pour les soirées, les longues soirées d'hiver qui sont la bête noire des gentilshommes campagnards, elle a trouvé le remède. La solitude lui révèle des plaisirs inconnus: lire et écrire. L'exil va faire de Mademoiselle un esprit cultivé et un des mémorialistes importants de son siècle. A ce titre, que Mazarin soit remercié d'avoir chassé de la Cour la duchesse de Montpensier. Mademoiselle ne lit pas, elle dévore. Tout ce qui lui tombe sous la main. D'abord les romans à la mode, les fameux romans héroïques, *Polexandre*, de Gomberville, *Cassandre* et *Cléopâtre*, de La Calprenède, *Artamène ou le Grand Cyrus*, de Mlle de Scudéry. Dans cette littérature vibrante, la Frondeuse retrouve l'exaltation de ses aventures guerrières, mais les quinze mille pages de *L'Astrée* la touchent au cœur. Presque autant que le sublime et la préciosité, elle goûte la verve satirique des comédies burlesques de Scarron ou du *Don Quichotte*.

Avec sa nature entreprenante et ses loisirs forcés, Mademoiselle ne va pas en rester là. Il arrive ce qui devait arriver, une fois de plus la princesse passe à l'action. Comme par leurs exploits Mme de Chevreuse et Mme de Longueville l'avaient poussée à tirer le canon, l'exemple de Mme de Rambouillet et des Précieuses l'encourage à écrire. Et, pour lever ses dernières hésitations, Anne d'Orléans a sous les yeux le modèle de la reine Marguerite, première femme d'Henri IV, qui ne juge pas inconvenant de publier des mémoires.

En toute humilité, elle se met donc à son tour à la recherche du temps perdu, et toute sa vie portera sur son œuvre le même jugement d'une touchante modestie: « Je ne m'amuse à ces mémoires que pour moi, dira-t-elle, et qu'ils ne seront peut-être jamais vus de qui que ce soit, au moins de mon vivant... » Commencés à Saint-Fargeau pendant l'hiver 1652, interrompus en 1660 lorsque la princesse revient à la Cour, les fameux mémoires ont été repris dix-sept ans plus tard, en 1677, pour permettre à son auteur de confesser la passion de sa vie. La vieille dame les abandonnera définitivement quatre ans avant sa mort. « Un jour que je me promenais dans le Parc de... » C'est l'énigmatique dernière phrase.

Ainsi laissa-t-elle plus d'un millier de pages d'une écriture difficile qu'elle refusait de relire et où elle embrouillait assez volontiers l'ordre chronologique. Mais Mademoiselle est trop modeste; ses mémoires ne méritaient pas de tomber dans l'oubli. C'est une véritable chronique de la Cour où les cérémonies, les fêtes et les intrigues ressuscitent par la vivacité des anecdotes. Dans les descriptions, l'auteur s'attache à l'extérieur, à l'étiquette, aux parures féminines et masculines et elle se complaît aux « potins » qui dépassent le plus souvent le cadre de la petite histoire.

En effet, son intimité avec tous les très hauts personnages du royaume a permis à Mademoiselle de rapporter des scènes dont elle seule pouvait être le témoin et par là son œuvre acquiert une valeur de document précieux. Enfin, si Mademoiselle ignore les causes profondes des événements politiques, sur elle-même elle dit tout. Sa qualité de princesse de France, son insolence de Frondeuse, sa passion de la guerre et sa passion de l'amour... Et c'est déjà beaucoup: on n'en demande pas tant à bien des écrivains modernes dont les journaux intimes passionnent l'opinion. Aujourd'hui, Mademoiselle ferait fortune avec ses souvenirs.

Dans le même souci de braver le sort et de narguer Mazarin, Mademoiselle crée autour d'elle une sorte de salon: « Il y avait souvent compagnie à Saint-Fargeau. » Les réunions n'ont pas le brillant qu'elles atteindront plus tard au Luxembourg, mais pour ces temps d'exil, les soirées ne sont pas si mal réussies. « Qui m'aime, vienne me rendre visite », a l'air de lancer Mademoiselle, en ouvrant toutes grandes les portes de son château. Et l'on relève le défi, l'on ose se compromettre avec une ennemie déclarée du régime. C'est tout à l'honneur de cette noblesse.

La Grande Mademoiselle ne tarde pas à faire elle aussi « son exploit ». Avec l'armée des frondeurs, elle s'empare, sans coup férir, d'Orléans. Cette gravure allégorique la représente ici sous les traits d'une héroïne romaine, armée d'une torche et brûlant Mazarin à terre, tandis qu'au loin les partisans du cardinal s'enfuient en traversant la Loire à la nage.

Le combat de la Porte Saint-Antoine. Les troupes de Monsieur le Prince de Condé, pressées de plus en plus vivement contre le fossé, luttaient pied à pied hors de Paris, dans les rues du faubourg Saint-Antoine et de Charonne. Les canons de Turenne balayaient de leurs feux les dernières résistances. On aperçoit la Bastille d'où la Grande Mademoiselle fit tirer sur les troupes de Turenne.

Parmi les beaux esprits qui fréquentent chez Mademoiselle, les femmes ont la vedette, les femmes sont reines comme l'exigent les mœurs délicates pratiquées dans *L'Astrée.* Les visiteuses portent de très grands noms: la duchesse de Ventadour, née Marguerite de Montmorency, la duchesse de Sully, Mme de Montglat, Mme de Mauny et même l'unique, l'irremplaçable Mme de Sévigné. Toutes savourent les amours bucoliques du berger Céladon et de la bergère Astrée et boivent « le lait pur et sucré » que leur déverse Honoré d'Urfé. Mais être précieuse ne signifie pas seulement tenir un salon où se susurrent des propos gracieux; c'est aussi devenir le sujet d'ouvrages précieux. Lorsque l'une ou l'autre de ces mondaines a l'honneur d'inspirer à un homme de lettres un de ces romans à clé où chacun croit se reconnaître, elle n'a plus rien à désirer de la littérature et de la galanterie. C'est la consécration suprême.

Mademoiselle eut la joie d'être ainsi immortalisée dans le récit de Segrais: « Les divertissements de la princesse Aurélie en son château des Six-Tours. » Jean Regnauld de Segrais, poète de son état, avait remporté à Saint-Fargeau le haut titre de « secrétaire des commandements de Mademoiselle ». Autrement dit, son homme à tout faire dans le domaine des choses de l'esprit. C'est lui qui initie la jeune femme à la littérature et qui lui forme le jugement. « C'est un peu le Voiture de Saint-Fargeau », a-t-on pu dire.

Une telle charge, on s'en doute, n'était pas accordée au premier venu. Depuis qu'il avait compris que, pour réussir, il faut se concilier les faveurs d'une personne de qualité, Segrais s'était poussé un peu partout dans le monde. Figurant dans le salon de Mme de Rambouillet, il était passé « grand premier rôle » chez Mademoiselle. Il demeura à ce poste pendant vingt-quatre ans, jusqu'en 1672, date d'une éclatante rupture entre le poète et son égérie. Mais lorsqu'à Saint-Fargeau il célèbre la princesse Aurélie, Segrais sait ce qu'il doit aux bontés de Mademoiselle, et se comporte en serviteur zélé: « Elle avait, dit-il de la maîtresse de céans, le courage aussi relevé que sa naissance et l'esprit aussi grand que l'un et l'autre... Toutes ces divines qualités logeaient dans un corps qui en était digne. Sa taille suffisait pour la faire adorer... »

Le portrait souffre d'une sérieuse exagération de langage, mais, après tout, Segrais est là pour embellir la vérité. Il est là aussi comme maître des jeux, charades, proverbes ou méditations autour d'un thème amoureux. Les épreuves à infliger à un amant, les bienfaits de l'absence, la valeur du mariage.

Sur ce point, Mademoiselle, à vingt-six ans, ne pense pas autrement qu'à quinze. Elle tient l'amour pour le sentiment le plus bas et tranche des problèmes du cœur avec une intransigeance qui est la preuve même de son inexpérience. « Pour moi, écrit-elle, j'avais toujours eu une grande aversion pour l'amour, même pour celui qui allait au légitime, tant cette passion me semblait indigne d'une âme bien faite. » Mademoiselle a grand tort de parler sur ce ton de choses qu'elle ignore. Encore un peu de temps et le comte de Lauzun se chargera de lui faire comprendre son erreur.

Plaisirs de la correspondance, soirées de théâtre et de musique, grandes randonnées dans les bois qui entourent Saint-Fargeau complètent le programme des réjouissances toujours somptueuses et fort coûteuses. « On tâchait à se divertir », s'écrie Mademoiselle avec fierté. Dans ce cri éclate non seulement un frénétique amour de la vie, mais le besoin d'oublier, de se fuir soi-même. Divertissement, c'est aussi le mot de Pascal, et, en ce sens, les fêtes de Saint-Fargeau résonnent étrangement.

Car, à voir la réalité en face, il n'y avait pas pour Anne d'Orléans tellement de quoi triompher. Durant les cinq années de Saint-Fargeau, les chagrins ne lui ont pas manqué dans le domaine politique, familial et sentimental. Et Mademoiselle n'a pas de trop de tout son courage pour se masquer les échecs répétés de sa vie.

Elle s'enferme dans son célibat, repousse les messagers des princes de l'Europe qui la poursuivent jusque dans sa retraite pour lui parler mariage. Ce n'est pas qu'elle ait renoncé à prendre un époux; elle garde, au contraire, la même inquiétude de son établissement.

Mais, par une contradiction bien caractéristique de sa nature, la princesse méprise en apparence ce qui lui tient, au fond, le plus à cœur. Et les années passent sans lui faire reconnaître un parti digne d'elle.

« Il n'y a jamais eu de fille de France mariée à de petits souverains. » C'est par ces mots peu engageants qu'elle accueille un beau matin un père jésuite, envoyé du duc de Neubourg, souverain du Palatinat, qui aspire au bonheur de lui plaire: « Mademoiselle, disait le Prince dans une lettre aussi précieuse que *L'Astrée*, puisque les rares vertus et perfections que le Ciel a jointes à la grandeur de la naissance de Votre Altesse Royale ont fait éclater ses louanges partout, j'espère qu'elle me pardonnera si je me trouve au nombre de ceux qui cherchent l'honneur de la servir. Ce serait le véritable bonheur qu'avec passion je souhaite si, dès cette heure, il m'était permis de rendre à Votre Altesse Royale les respects et obéissances, etc... »

Mademoiselle a beau ne jamais trouver les hommages trop exagérés, cette fois les compliments du prince de Bavière lui donnent le fou rire. Elle veut bien accepter les louanges, mais pas la manière ridicule avec laquelle elles sont exprimées. Le dialogue entre la jeune femme et le pauvre envoyé matrimonial se déroule alors dans une atmosphère de franche ironie de la part de l'intéressée.

« C'est le meilleur homme du monde, dit le bon père

jésuite, vous serez trop heureuse avec lui »; et ne sachant quoi ajouter pour vanter les mérites de son maître, il a cette phrase sublime: « Sa femme, qui était sœur du roi de Pologne, mourut de joie de le voir à son retour d'un voyage. » Mademoiselle n'en demande pas tant: « Vous me faites peur, s'écria-t-elle, je craindrais de le trop aimer et de mourir... »

A cette époque, Mademoiselle n'a que vingt-sept ans. Elle se sent forte, encore capable de séduire bien des rois et des empereurs. Est-ce qu'on croit qu'elle va se laisser impressionner par un petit prince de Bavière? L'heure n'a pas sonné pour Anne d'Orléans de se départir de son orgueilleuse profession de foi de « petite-fille d'Henri IV ». Pour en arriver à se nier elle-même comme elle le fera plus tard, il lui faudra vraiment être au comble de la solitude et du découragement.

Le Père Jean Antoine s'en était donc retourné tête basse vers sa Bavière natale, laissant Mademoiselle à de plus hautes ambitions.

A Saint-Fargeau, un souvenir continue à la poursuivre. L'image d'un beau, d'un grand, d'un généreux capitaine, un homme pour qui elle a frémi comme il ne lui était jamais arrivé de trembler dans la vie. Et, lorsqu'elle songe à une certaine journée du faubourg Saint-Antoine, elle voit dans son rêve le regard lumineux du prince de Condé... Longtemps, au cours des soirées d'exil, la princesse espère l'impossible. Mais l'impossible n'existe pas. La femme de Condé se porte de mieux en mieux et, serait-elle morte, qu'il n'est pas certain que le Prince eût voulu s'embarrasser des folies de sa cousine.

Les rapports ne tardent pas à se refroidir entre les Frondeurs et, en 1657, Condé écrit à un ami ces mots qui ne laissent pas grand doute sur ses sentiments: « J'ai été sept ou huit ans sans avoir les bonnes grâces de Mademoiselle; je les ai possédées depuis; et si par un caprice elle veut me les faire perdre, il faudra bien m'y résoudre, comme je le fais sans m'en désespérer. »

Ainsi, l'amitié de Condé avait été celle d'un fin politique. Il s'était servi de sa cousine comme d'une alliée pour la Cause, insensible à toute considération extra-militaire. Un chapitre à ajouter au roman des illusions perdues de Mademoiselle.

Cependant, plus que la politique et l'amour, c'est sa propre famille qui vaut à Mademoiselle de profonds chagrins. La lâcheté et la fourberie de Monsieur, et maintenant son âpreté de requin, sont autant de sujets de tristesse. Comme dans un roman de Balzac, l'immense fortune de Mademoiselle va être cause de la lutte acharnée que, des années durant, se livrent le père et la fille.

Gaston d'Orléans, en effet, avait été chargé, pendant la minorité de la princesse, de gérer les biens laissés par sa première femme. On avait ensuite pris l'habitude d'éviter soigneusement la question, si bien qu'il régnait autour de cette fortune considérable une odeur de mystère. En fait, Monsieur qui a, de son second mariage, trois autres filles à doter, et de grosses dettes de jeu, ne pense qu'à détourner les biens de Mademoiselle pour son usage personnel. Le tout est d'arriver à la dépouiller dans les formes.

Alors commence le long procès du compte de tutelle et du partage des biens, ponctué par une succession de récriminations et de vengeances, d'une ignoble mesquinerie.

Monsieur ouvre le combat en 1654 par cette déclaration difficilement admissible pour la partie adverse: « Si Mademoiselle lui donnait de bonne volonté tout ce qu'il demandait, écrivait ce bon père, il la mettrait en possession de tout son bien. » En deux mots, la princesse a compris l'étendue du risque. Elle se lance aussitôt dans la bagarre, s'initie au jargon judiciaire, se défend pied à pied, comme une vraie chicaneuse.

« Etant ce que je suis, gronde-t-elle, Monsieur ne doit pas préférer à moi les intérêts des enfants d'une femme qu'il ne doit pas considérer plus que ma mère. Chacun vaut son prix, mais ma mère, sans contredit, valait quelque chose. » Au-delà des considérations matérielles, il y a beaucoup d'allure dans cette défense d'une mère inconnue.

A cette indignation spontanée, Monsieur ne sait répondre que par des gémissements ou des menaces:

« Mademoiselle n'aime point ses sœurs, pleure-t-il... Elle veut voir mes enfants à l'hôpital. » Ou bien, à bout d'arguments, il parle de l'enfermer dans un couvent, selon « l'intention du Roi ». Il n'a même pas le courage de ses propres menaces et, pour une affaire aussi personnelle, il se réfugie, encore, derrière une autorité suprême.

On finit par en appeler à l'arbitrage de Mme de Guise, mère de la première Madame, et proche parente de la seconde. Elle préférait à Mademoiselle les filles de Marguerite de Lorraine et le fit bien voir par la manœuvre qu'elle inventa. La « bonne grand-mère » exige de Monsieur et de Mademoiselle qu'ils lui remettent les papiers et les somme « de signer tout ce qu'elle voudrait sans le voir ». La mort dans l'âme, Mademoiselle s'exécute et signe. Il ne lui reste qu'à jurer, mais un peu tard, de ne plus s'y laisser prendre... Le fameux arbitrage l'oblige à payer la moitié des dettes de son père, à reconnaître qu'il ne doit plus que 800 000 francs. La jeune fille a été trompée par toute sa famille réunie.

Une autre catastrophe succède à cette duperie: Monsieur ordonne à Préfontaine, trop fidèle à son goût, de quitter Saint-Fargeau, et Mademoiselle demeure inconsolable du départ de ce serviteur dévoué et de si bon conseil. « Pendant que je dînais ou soupais, j'avais quelquefois envie de pleurer; les larmes me venaient aux yeux; les comtesses me regardaient et me riaient au nez. » Aucun cabotinage dans cet aveu, Mademoiselle ne cherche pas à se faire plaindre. Elle constate seulement l'état de détresse morale où elle est et l'indifférence de son entourage... En cas de malheur, pas un regard ami pour vous venir en aide. Le plus beau parti d'Europe est aussi la jeune femme la plus désespérée.

En 1657, le Roi ratifie la transaction de Mme de Guise. Mademoiselle a décidément perdu la partie. Un immense dégoût l'envahit. « Tous ces souvenirs coupent la gorge; on serait trop heureux de n'avoir pas de mémoire. » Outre la perte de ses biens, Mademoiselle est anéantie par l'inélégance et la violence de Gaston d'Orléans. Est-ce vraiment là un père? A la fin du procès, la jeune femme n'est plus la même. Elle sort de la lutte blessée à mort et sans aucune illusion sur la bonté du genre humain. « Toutes les choses du monde, dira-t-elle, se règlent par intérêt et par passion, plutôt que par la justice, tant il y en a peu. » Une véritable école du scepticisme.

Lorsque les divertissements de Saint-Fargeau se révèlent insuffisants à tromper une aussi profonde mélancolie, Mademoiselle voyage. C'est la thérapeutique la plus vieille du monde, conseillée à tous ceux qui ont besoin d'oublier. La princesse, qui souffre d'une excellente mémoire, use et abuse du remède. Toujours par monts et par vaux, elle parcourt la Touraine. A Amboise, à Villandry, à Valençay, puis à Celles, chez le comte de Béthune, qui lui montre sa bibliothèque et ses manuscrits. Elle a, ainsi, le plaisir de lire des lettres du roi Henri IV, son grand-père.

Bien qu'elle jouisse d'une éclatante santé, Anne d'Orléans part, en 1656, faire une cure à Forges-les-Eaux, la station thermale la plus réputée de l'époque. La vie de Forges est douce. On se promène en prenant les eaux. On se retrouve sous les ombrages, et ces rencontres, ces carrosses, ce plaisir de l'instant qui passe ne sont pas sans rappeler à Mademoiselle les souvenirs, déjà lointains, du merveilleux Cours-la-Reine. De la messe matinale au théâtre du soir, chaque moment de la journée est l'occasion de montrer une nouvelle toilette et de se faire admirer. Ce ne sont pas les bienfaits des eaux que Mademoiselle éprouve en suivant la cure. Forges lui redonne surtout le goût de vivre.

Pendant ses voyages, Mademoiselle a l'occasion de retrouver les plus hauts personnages de la Cour. C'est ainsi qu'à Chilly, elle reçoit la reine d'Angleterre et sa fille Henriette, dont la mort prématurée nous vaudra la fameuse oraison de Bossuet. Le temps du repas, Mademoiselle peut croire que le passé est revenu, d'autant que la reine lui glisse à l'oreille que son fils, Charles II, « est si sot qu'il l'aime toujours ».

Et la princesse se prend à sourire, en songeant au grand Anglais qui savait si mal se faire aimer.

De toutes ces rencontres, la plus mémorable fut l'entrevue avec la reine Christine de Suède, qui provoquait alors l'admiration de toute l'Europe. La Pallas nordique, l'Etoile polaire, le Phénix, étaient les moindres de ses surnoms. Elle savait le grec, le latin, la philosophie et tout ce que les autres femmes continuaient à ignorer. Mademoiselle était purement et simplement fascinée par ce personnage. Mais il était dit qu'aucune déception ne lui serait épargnée. Comme les autres, ses amoureux, ses dames de compagnie, son père et sa grand-mère, Christine de Suède la confirma un peu plus dans son désenchantement. Ce n'était, après tout, qu'une femme cruelle et sans véritable grandeur.

Il y a cinq ans que Mademoiselle vit à Saint-Fargeau lorsqu'elle comprend à certains signes que le temps de la délivrance approche. Les visites se multiplient, Mazarin laisse courir des propos favorables. Le retour à la Cour n'est plus qu'une question de jours.

Pour hâter sa grâce, Mademoiselle s'est, entre-temps, réconciliée publiquement avec son père, sans que personne ne soit dupe de ces retrouvailles. « J'avais plutôt envie de pleurer », dit la jeune fille, tandis que d'étranges pensées lui traversent l'esprit. Il lui semble soudain découvrir son père sous un autre jour. N'est-il pas avant tout le fils d'une Médicis, l'héritier d'une race sans foi ni loi? Et Mademoiselle frémit rétrospectivement en songeant à quel malheur elle a échappé. Est-ce que le « venin des Médicis » ne l'aurait pas, elle aussi, contaminée?... « Le venin des Médicis? » Non! Ce n'est pas possible. Dans les veines de Mademoiselle coule le plus pur sang des Bourbons.

CHAPITRE VIII

« Un petit homme blondasse »

Et maintenant le rideau se lève sur le dernier acte de l'épopée, un acte qui, à lui tout seul, vaut bien une vie. La pièce continue, mais, en coulisse, les acteurs ont changé de masques et de costumes. Certains ont fait leur sortie, d'autres sont entrés, qu'on ne connaissait pas encore. De simples figurants, des jeunes premiers, des ingénues et des grandes coquettes. Tous les emplois sont distribués. Il ne reste qu'un comédien à trouver pour donner la réplique à la duchesse de Montpensier, mais c'est le rôle le plus difficile à tenir.

Le 9 juin 1660, le roi Louis XIV a accompli un des actes politiques importants de sa carrière: il a pris pour épouse l'infante d'Espagne, Marie-Thérèse. Si Louis XIV a su ainsi sceller l'union des deux plus grandes monarchies d'Europe, Marie-Thérèse, de son côté, n'a pas à se plaindre de son époux. D'après Mme Scarron, qui va bientôt s'appeler Mme de Maintenon: « La Reine va se coucher ce soir assez contente du mari qu'elle a choisi. » Louis XIV danse à merveille, il aime presque autant les femmes que la gloire. Sa jeunesse illumine Versailles comme un soleil. La Fronde n'est plus qu'un souvenir évanoui depuis qu'il ne reste personne pour en raconter les campagnes. Gaston d'Orléans a eu une attaque; un à un les factieux sont morts en exil ou dans leurs lits. Le 9 mars 1661, Mazarin disparaît à son tour.

« Le Cardinal ne fut pas trop regretté, même de ceux qui lui avaient le plus d'obligations; c'est le sort des favoris », dit Mademoiselle, mais la douleur manifeste d'Anne d'Autriche apporte un démenti à ce jugement hâtif. Lorsque la Reine succombe à son tour, le 18 janvier 1666, c'est toute une époque d'esprits forts, d'amazones et de guerres en dentelles qu'elle emporte dans la tombe. Monsieur est mort, le Cardinal est mort, la Reine est morte, vive le Roi. Et, avec le jeune Louis XIV, l'esprit d'insoumission est une mode qui n'a plus cours.

La nouvelle vague des grands rompt avec les cabales de papa. Les courtisans tournent autour du souverain qui les entretient, leur fournit jusqu'aux produits de consommation courante. Comme ils sont tous ruinés, à force de vivre au-dessus de leurs moyens, ils se laissent sans remords pensionner et domestiquer. Seule de sa race, Mademoiselle est rebelle à toute espèce d'esclavage. Malgré les années malheureuses et les échecs répétés, elle reste fidèle à son personnage, quitte à en souffrir cruellement ensuite. Mme de Motteville, qui est sans doute l'une des femmes qui l'a le mieux connue, nous donne une des clés du personnage: « Mademoiselle, avec beaucoup d'esprit, de lumière, de capacité, et pleine de désirs pour la couronne fermée, n'a jamais su dire un « oui » qui pût lui être avantageux. Ses propres sentiments et souhaits ont toujours été surmontés en elle par des fantaisies passagères; et ce qu'elle a le plus voulu, elle ne l'a jamais accepté quand elle a pu l'avoir. »

Dans son désir de se marier, l'incohérence semble conduire Anne d'Orléans à choisir systématiquement la voie la plus néfaste, mais l'illogisme n'est souvent qu'apparent et cache une rare élévation de pensée. Un fait le prouve de façon certaine. Peu de temps après l'entrée solennelle de Louis XIV et de Marie-Thérèse à Paris, la reine d'Angleterre revient une dernière fois à la charge et lui renouvelle son désir de l'avoir pour belle-fille. Maintenant que Charles II a retrouvé la puissance et la couronne, quels arguments Mademoiselle peut-elle encore avancer pour dire non? C'est alors que cette princesse a cette réponse étonnante, la seule à laquelle son interlocutrice ne s'attendait pas:

« Le roi et la reine d'Angleterre me font trop d'honneur de vouloir de moi, je ne les mérite pas, les ayant refusés pendant leur disgrâce; et c'est par cette même raison que je le refuse encore, parce que je ne crois pas le mériter; qu'il jouisse de sa bonne fortune avec quelqu'un qui lui ait obligation. »

Le renoncement en impose par son élégance, et à défaut d'autres principes, Mademoiselle professe une morale esthétique où la beauté du geste a finalement plus d'importance que les intérêts matériels, les alliances politiques et les livres de rente. Plutôt que de se déconsidérer à ses propres yeux, la princesse brave la volonté du Roi. En refusant d'épouser, en 1662, le roi de Portugal, le malheureux Alphonse VI, sot et paralytique, Mademoiselle sait où elle va. Pour la seconde fois c'est l'exil qui l'attend. Mais qu'importent les sanctions, lorsqu'on a sa fierté pour soi et conscience de respirer à une certaine hauteur. « Quand on est ainsi, dit-elle d'elle-même, on y demeure! Si l'on s'ennuie à la Cour l'on ira à la campagne, à ses maisons où l'on a une cour. On y fait bâtir, on s'y divertit. Enfin, quand on est maîtresse de ses volontés, l'on est heureuse car l'on fait ce que l'on veut. »

Maîtresse d'elle-même, comme de son cœur, Mademoiselle ne sent pas l'ouragan qui approche. Elle se croit invulnérable, et tellement à l'abri des passions amoureuses qui tyrannisent ses semblables, qu'elle s'érige en directrice spirituelle. Au Luxembourg, son salon est devenu le plus brillant de la capitale. Mademoiselle a remporté de haute lutte la difficile succession de l'Hôtel de Rambouillet. On rit, on s'amuse aux charades et à colin-maillard, « on danse aux chansons », on fait jouer les violons. Les poètes récitent

Madame de Montbazon.

L'exil de la Grande Mademoiselle à Saint-Fargeau, un exil doré dans un château reconstruit par Le Vau, sous Louis XIV.

des vers, les penseurs philosophent. La querelle entre Cotin et Ménage, deux familiers de Mademoiselle, inspire à Molière la terrible dispute Vadius-Trissotin à l'acte III des *Femmes savantes*.

Une seule règle au Luxembourg, par ordre de la maîtresse de céans, l'amour est banni de la conversation: « Les vers que j'aime le moins sont ceux qui sont passionnés, car je n'ai pas l'âme tendre », et pour la galanterie, elle n'y a aucune pente.

Sûre de posséder la vérité, cette Minerve des Temps modernes veut en faire profiter toutes les personnes de qualité. C'est alors qu'elle a de vastes projets de vie retirée, dont elle fait part à Mme de Motteville. Il s'ensuivit une aimable correspondance où Mademoiselle imagine ce que pourrait être un bonheur champêtre, loin de la Cour et du bruit. On garderait les moutons, on ferait des fromages, on nourrirait les enfants et l'on recevrait les malades... Mais, attention, dans l'esprit de Mademoiselle toutes ces bergeries tournent autour d'un point essentiel. Les compagnons formeraient une communauté de célibataires ou de veufs, mais surtout pas de couples. La vie en commun s'organiserait « sans toutefois faire l'amour, car cela ne me plaît point en quelque habit que ce soit ». Sur la question du mariage, Mademoiselle reste intraitable, et c'est là qu'elle devient théoricienne, prônant à la fois aux femmes la liberté et la vertu.

« Ce qui a donné la supériorité aux hommes a été

le mariage, et ce qui nous a fait nommer le sexe fragile a été cette dépendance où l'homme nous a assujetties souvent contre notre volonté... Enfin, tirons-nous de l'esclavage, et qu'il y ait un coin du monde où l'on puisse dire que les femmes sont maîtresses d'elles-mêmes. »

La Cour fait semblant d'acquiescer et rit sous cape de tant de naïveté. La vie pourtant possède une ironie plus cinglante que tous les grands du royaume. Non, Mademoiselle, l'avenir n'est à personne, l'avenir est à Dieu et à Antonin Nompar de Caumont, marquis de Péguilin, comte, puis duc de Lauzun. Il a trente-huit ans, elle en a quarante-trois lorsque leurs routes se croisent.

Ce n'était pas la première fois que Mademoiselle subissait le charme du personnage. Déjà, en 1660, lors du mariage royal, au milieu de la foule des Princes, de la cohue des régiments et du cortège, Anne d'Orléans avait remarqué un cadet de Gascogne, qui commandait la compagnie des gentilshommes à bec de corbin. Un autre jour, elle l'admirera au cours d'un carrousel, et chaque fois elle lui trouve cet air indéfinissable qui fait dire aux demoiselles parlant de leurs amoureux: « Il n'est pas comme les autres... »

La princesse ne comprend pas davantage le trouble qu'elle ressent: « Je pris plaisir à voir la manière dont le Roi parlait de lui; j'avais quelque instinct de ce qui devait arriver », inventera-t-elle après la tempête, en manière d'explication. En fait, la lumière est longue à se faire dans l'esprit de Mademoiselle. Tout cela est si nouveau pour elle qu'elle ne trouve pas dans son vocabulaire de mots pour nommer ce sentiment de bonheur et d'inquiétude qui la saisit tout entière et précipite les battements de son cœur.

Elle voit Lauzun prendre le bâton de capitaine des gardes, en juillet 1669, et le complimente avec une chaleur peu commune. « C'est qu'il est de fort agréable conversation et qu'il a des manières de s'expliquer tout extraordinaires », se dit-elle pour se rassurer. Encore quelques jours de ce badinage, et Mademoiselle sera obligée de se rendre à l'évidence. Elle aime M. de Lauzun. Ce n'est pas lui qui l'a recherchée, c'est elle qui l'a choisi entre tous, et comme elle a voulu le trône, Mademoiselle veut Lauzun. Avec la même fureur et la même déraison. « Sa vie est un roman, a écrit La Bruyère dans son portrait de Straton-Lauzun: non, il lui manque le vraisemblable... On ne rêve point comme il a vécu. »

Il était aimé des femmes, le savait et les dévisageait avec l'assurance du conquérant qui n'a pas connu de défaites. Un grand nombre, et des plus belles se vantaient de lui avoir cédé. D'autres étaient prêtes à le suivre et à tout lui sacrifier. Un mot aurait suffi. Qu'avait-il, ce don Juan, pour expliquer une telle emprise sur les femmes?

« C'était un petit homme blondasse, raconte son futur beau-frère Saint-Simon, dans un portrait étonnant de vie et de couleur, un des plus petits que Dieu ait faits. »

Ce séducteur a les cheveux gras et mal peignés, le nez rouge et pointu et l'ensemble du visage évoque l'image d'un « chat écorché ». Mais les femmes lui trouvent le regard insolent, un corps très bien proportionné et la plus belle jambe qu'on puisse voir. Il faut admettre avec Saint-Simon que le duc de Lauzun possédait des talents inconnus pour être recherché des dames au point où il l'était. Le grand écrivain est fasciné par le personnage, il y revient sans cesse, lui consacre dans ses *Mémoires* des pages et des pages, comme s'il n'arrivait jamais à épuiser son sujet:

« Plein d'ambition, de caprices, de fantaisie, jaloux de tout, voulant toujours passer le but, jamais content de rien, sans lettres, sans aucun ornement ni agrément dans l'esprit, naturellement chagrin, solitaire, sauvage; fort noble dans toutes ses façons, méchant et malin par nature, encore plus par jalousie et par ambition, toutefois bon ami quand il l'était, ce qui était rare... Extrêmement brave et aussi dangereusement hardi. Courtisan également insolent, moqueur et bas jusqu'au valetage et plein de recherches d'industrie, d'intrigues, de bassesses, pour arriver à ses fins, avec cela dangereux aux ministres, à la Cour redouté de tous et plein de traits cruels et pleins de sel qui n'épargnaient personne... »

Louis XIV lui pardonnait tout. Si un autre s'était permis le centième des audaces que s'autorisait Péguilin, il n'en aurait pas réchappé. Mais l'obscur colonel, le cadet de Gascogne sans fortune, a tous les droits. A la suite d'une dispute, il joue à Mme de Montespan, maîtresse du Roi, un tour qui mériterait la réclusion perpétuelle. Il se cache sous le lit où sont couchés le Roi et sa favorite, puis, de ce ton mielleux dont il a le secret, il rapporte mot pour mot la conversation des deux amants, traitant la Montespan de menteuse, de coquine, de p... à chien. Tant et si bien que la dame s'évanouit. Au lieu de chasser à jamais l'impudent de sa cour, le Roi envoie Lauzun à la Bastille, mais, au bout de deux mois, il l'en tire avec honneur. Pas plus que les femmes, il ne peut vivre sans son héros préféré. Pour célébrer les retrouvailles, Louis XIV lui décerne le titre de capitaine des gardes, charge réservée d'ordinaire aux maréchaux de France:

« La connaissance que nous avons de son courage, décrète le Roi, l'estime que nous faisons de sa personne et la confiance que nous avons en sa conduite et en sa fidélité, nous donnent sujet de l'élever à une charge convenable à sa naissance et à ses bonnes qualités. »

En accordant à Lauzun une attention de plus en plus soutenue, Mademoiselle fait comme tout le monde.

Puisque c'est le Roi qui a lancé « la mode Lauzun », pourquoi ne pas la suivre? Anne d'Orléans n'a pas grand mal à se donner pour s'enticher du favori. Sauf la disproportion de rang, Lauzun correspond de façon étonnante à l'idéal masculin de la princesse. Un mélange de courage et de folie, une harmonie si rarement réunie chez un seul homme que Mademoiselle aura passé sa jeunesse à chercher en vain un époux qui ressemble au modèle.

Les souverains d'Europe, tous ces fameux partis étaient trop veules ou trop sages pour que Mademoiselle ait une chance d'y découvrir son Prince charmant. Il lui faut un guerrier, toujours au premier rang dans la bataille et qui ose afficher à la Cour cette indépendance de manières, cet anticonformisme dont on avait oublié jusqu'au souvenir dans l'entourage du Roi-Soleil. Depuis le vaillant Condé, depuis le héros du faubourg Saint-Antoine, la princesse n'a vu autour d'elle que courbettes et sourires hypocrites. Elle croyait à jamais perdue la race de ces esprits indépendants, sans souci du qu'en-dira-t-on, capables dans un emportement de compromettre leur rang et leur carrière. Or, voici Lauzun, qui rive à chacun son clou, aux favorites et aux ministres, qui brave l'autorité royale jusqu'à disputer ses maîtresses à Louis XIV. Par jalousie, il enferme le monarque dans un petit cabinet et, lorsque la dame arrive, impossible d'ouvrir la porte. La clé est dans la poche de M. de Lauzun.

De tous ses actes, il fait une provocation perpétuelle. Avec un tel homme, c'est un peu la Fronde qui renaît. C'est toute la jeunesse de Mademoiselle, ce sont ces impertinences qui la ravissaient à vingt ans et qui l'enchantent toujours. Enfin, à quoi bon tant de raisons? La princesse tremble lorsque Lauzun pénètre dans un lieu où elle se trouve, elle le guette dans les galeries, le voit partout, y pense sans cesse. Loin de lui, elle croit mourir, près de lui, elle se sent revivre. Elle aime, c'est tout et c'est terrible.

A qui se confier, à qui parler de Lauzun? Mademoiselle est seule avec sa réputation de vieille fille trop vertueuse, ses quarante ans passés, sa légende de Frondeuse. Comment leur dire, à la Cour, que l'amour est devenu l'affaire la plus importante de sa vie, que plus rien ne compte à côté de cette révélation bouleversante et tragique? Elle ne s'attirerait que sobriquets et railleries. Alors, plutôt que de se ridiculiser, elle a recours à Corneille. Corneille, son cher Corneille, lui ne l'abandonnera pas. Il est là pour l'aider à voir plus clair en elle. Dans cet instant où Mademoiselle a tout remis en question pour un regard de Lauzun, ses principes, ses croyances, sa personnalité, elle se souvient d'une des comédies, la *Suite du Menteur*. Elle veut la relire à tout prix, et ne trouvant pas dans sa bibliothèque le volume désiré, elle l'envoie chercher à Paris « en grande diligence ». Sans hésitation, elle l'ouvre à la page voulue et lit:

Quand les ordres du Ciel nous ont faits l'un pour
[l'autre,
Lise, c'est un accord bientôt fait que le nôtre.
Sa main entre les cœurs, par un secret pouvoir,
Sème l'intelligence avant que de se voir.
Il prépare si bien l'amant et la maîtresse
Que leur âme au seul nom s'émeut et s'intéresse.
On s'estime, on se cherche, on s'aime en un moment.

Mademoiselle trouve dans ces strophes la confirmation qu'elle attendait. Lauzun lui est destiné. C'est l'époux que Dieu lui réserve depuis le commencement des temps, car il est évident que Mademoiselle a trop de hauteur pour s'abandonner à une liaison passagère. L'idée même lui fait horreur. C'est alors le début de nouveaux tourments. Mademoiselle se regarde dans les miroirs, Mademoiselle se critique, Mademoiselle essaie de se voir à travers les yeux de Lauzun. Elle a quarante-trois ans, ses cheveux sont gris, sa peau se fane, bien des rides cernent ses yeux. Lauzun pourra-t-il encore la trouver belle, lui qui est si difficile sur le chapitre des femmes? Ce n'est plus sur la *Carte du Tendre* et dans *L'Astrée* que la princesse suit les phases de la passion amoureuse. Comme ces jeux doivent lui paraître insipides, alors que chaque matin elle se réveille en tremblant, ne sachant quel parti prendre pour retrouver la paix de l'âme. La réalité rend un autre son que les romans:

Après le mariage de Louis XIV, Mademoiselle rentre en grâce et fréquente la Cour. On l'aperçoit ici, à gauche, en compagnie de quelques princesses du sang, au cours d'un petit concert. Elle ouvre aussi un salon au Palais d'Orléans, ou Palais de Luxembourg.

Pl. 30: *L'unique amour de la Grande Mademoiselle, Lauzun, « un petit homme blondasse ». Ce séducteur a les cheveux gras et mal peignés, le nez rouge et pointu, et l'ensemble du visage évoque l'image d'un chat écorché.*

La duchesse de Montpensier à la fin de sa vie.

Sur la Terrasse des Reines, face au Palais du Luxembourg, la statue de la Grande Mademoiselle.

« Tantôt je voulais que M. de Lauzun devinât mon état, et d'autres fois je désirais qu'il ne le connût point. Je suis si naturellement impatiente: mon état m'accablait. Je ne pouvais souffrir personne. Je voulais être seule dans ma chambre, ou le voir chez la Reine, dans le Cours, par hasard ou autrement. Pourvu que je le visse, je me trouvais en repos. »

Au milieu de ces angoisses, Mademoiselle réinvente tout naturellement les mille ruses des femmes amoureuses. Ne pouvant s'offrir à Lauzun, elle a l'idée de le prendre pour confident. On veut la marier au prince Charles, dit-elle, et ne sait si elle doit consentir. En un éclair Lauzun a compris la situation. « La conduite de cet homme est un chef-d'œuvre », a noté Barbey d'Aurevilly, grand admirateur du personnage.

S'il accepte de jouer le rôle, il se garde de rien précipiter. Il est admirable de respect, de discrétion, de désintéressement et d'adresse: « Si vous avez envie de vous marier, vous avez de quoi faire un homme égal en grandeur et en puissance aux souverains... Etant choisi par vous, ce sera un homme admirable. Rien ne lui manquera, mais où est-il?... »

Pouvant tout espérer, le séducteur adopte, en homme rompu aux intrigues amoureuses, un plan qui lui a toujours réussi. Il s'agit de se tenir sur la réserve, d'ignorer l'amour qu'on inspire, d'aguicher à tel point la dame que ce soit elle qui fasse les avances. Plus le courtisan feint les timides, les modestes, plus Mademoiselle s'enflamme. A la vérité, il fallait un Lauzun pour mener à bien une telle entreprise et c'est un spectacle touchant et ridicule que cette femme vieillissante trompée par les manœuvres d'un gigolo diabolique. Pas une erreur, pas une bavure. C'est du très bon théâtre. Lauzun tire chaque ficelle au bon moment. Il espace les entrevues, revient, disparaît, persuade la pauvre princesse de la nécessité de se marier. Mais avec qui? « Ce mari me paraît une chose bien difficile à trouver », déclare-t-il alors que Mademoiselle brûle de l'envie de se jeter dans les bras de cet homme qu'elle adore et qui est là devant elle.

Quant à Lauzun, il a tout son temps. Il laisse Mademoiselle mordre à l'hameçon, en dire plus que sa pudeur le lui permet, et au dernier moment, se dérobe. Devant le tribunal de l'Histoire, il mérite la mort pour cruauté mentale. Connaissant les goûts de la princesse, Lauzun se lance un jour dans un panégyrique de la vertu, « la seule chose à quoi je songerais si je voulais me marier, ce serait à la vertu de la demoiselle... » — « Alors, vous voudriez bien de moi, car je suis sage et je n'ai rien qui vous déplaise. » La voix tremble si fort qu'Anne d'Orléans croit bien s'être trahie. Mais non, Lauzun enchaîne, comme si de rien n'était: « Ne faisons point de contes de Peau-d'Ane, quand nous parlons sérieusement. » Il y a de quoi mourir de tant d'incertitudes. Un jour il passe devant la fenêtre de la princesse avec des mines d'amoureux transi, le lendemain il évite sa belle, le surlendemain la complimente sur sa toilette. C'est le chat qui torture lentement la souris avant de la dévorer.

Pour Lauzun, Mademoiselle renonce une dernière fois à Charles II. Pour lui, elle renoncera au frère du roi de France. « Madame se meurt, Madame est morte... » A l'âge de vingt-six ans, Henriette d'Angleterre trépasse dans d'atroces souffrances et la littérature française hérite de la plus célèbre des oraisons funèbres. Quelques heures après l'affreuse nouvelle, le Roi s'approche de Mademoiselle: « Ma cousine, voilà une place vacante; la voulez-vous remplir? » Elle se trouble et pâlit: « Vous êtes le maître, je n'aurai jamais d'autre volonté que la vôtre. » — « Mais y avez-vous de l'aversion? » reprit Louis XIV. Et devant le silence de son interlocutrice: « J'y travaillerai et je vous en rendrai compte. »

Eperdue de douleur, elle se réfugie auprès de Lauzun, immuable dans son personnage de conseiller vertueux. Sûr de lui, il sait qu'il peut risquer gros. Aux jeux de l'amour, à tous les coups, un Lauzun gagne. « Obéissez au Roi sans égard, sans raisonnement; ne suivez que votre devoir aveuglément et ne songez qu'à cela; vous vous en trouverez bien. » Sous le pauvre sourire crispé, le gentilhomme devine quelle torture endure la princesse. Il s'en amuse, il en rajoute:

« Il faut oublier le passé. Pour moi, je ne sais plus rien de ce que vous m'avez conté: depuis quelque temps j'ai tout oublié; je ne songe plus qu'au plaisir que j'aurai de vous voir Madame... Voilà de quoi je m'occupe tous les jours et je fais mon plaisir de votre grandeur. »

Une autre aurait percé la fourberie du triste sire, mais Mademoiselle est trop amoureuse, trop désarmée surtout devant l'amour pour soupçonner la comédie qui se trame à son insu. Tant qu'elle est en public, Mademoiselle continue d'affecter un air de gaieté, mais rentrée chez elle, elle pleure sur son lit, comme une petite fille romanesque. Il n'y a qu'une solution: s'expliquer avec le Roi, avant que ce martyre quotidien l'ait définitivement brisée. D'un trait, elle récite à Sa Majesté: « Je ne veux pas me marier avec Monsieur; nous serons fort bien ensemble cousins germains comme Dieu nous a fait naître, mais il faut en demeurer là. » Et le Roi, qui parle peu, mais sait beaucoup de choses, comprend à demi-mot: « Je le lui dirai », réplique-t-il, sans plus de commentaires.

Maintenant qu'elle a rompu tous les liens, qu'elle s'est rendue libre, Mademoiselle va aller jusqu'au bout. Jusqu'au bout d'elle-même et de son amour, quoi qu'il lui en coûte. Comme Lauzun l'avait prévu dès la première minute, c'est elle qui s'offre, qui lui fait don par amour de sa main et de sa fortune. Dix mois d'attente et de désespoir ont eu raison de sa retenue de femme et de princesse. Le mot d'humiliation n'a plus de sens pour Mademoiselle lorsqu'il s'agit de posséder Lauzun, c'est-à-dire de vivre ou de mourir. On est en novembre 1670. Un jeudi, après le souper de la Reine, Anne d'Orléans arrête Lauzun dans l'antichambre et, le regardant droit dans les yeux, murmure que l'heure est venue de lui nommer l'homme qu'elle a choisi d'aimer: « Je veux vous dire qui c'est. » — « Attendez à demain.» — «Cela ne se peut, car il serait vendredi. Je vous l'écrirai. »

L'air grave, elle retourne dans sa chambre. La Grande Mademoiselle va écrire sa première lettre d'amour. Elle est bien courte, mais il n'y a pas besoin des quinze cents pages de *L'Astrée* pour avouer qu'on aime. Deux petits mots sur le papier et tout est dit: « C'est vous. » C'est vous qui me faites si mal, vous sans qui je ne suis rien, vous que je supplie de m'aimer...

Mademoiselle glisse le billet contre son cœur. Le dimanche, ils se retrouvent après le dîner au cercle de la Reine. Au moment de livrer son secret, Mademoiselle tremble. En tendant la lettre à Lauzun, c'est sa vie qu'elle remet entre les mains de cet homme: « Vous répondrez dans la même feuille ce que vous trouverez à propos, et ce soir, chez la Reine, nous parlerons ensemble. »

A la déclaration si simple et si sincère de Mademoiselle, Lauzun réplique à sa manière qu'il ne méritait pas qu'on se moquât de lui. Surtout pas d'imprudence, pas de précipitation. Par sa froideur, le séducteur oblige la princesse à le poursuivre encore, à se compromettre tout à fait. C'est à Versailles, dans le salon de la Reine, qu'a lieu l'entretien décisif. Un feu de cheminée réchauffe à peine la grande pièce aux lambris dorés. Les dames d'honneur se sont éloignées. Ils sont seuls, face à face, lui avec son cynisme et son ambition victorieuse, elle si pure et si sincère et croyant au bonheur. Entre les protagonistes, la partie est trop inégale et la fin de l'histoire connue d'avance. Bravant toutes les convenances, Anne d'Orléans se jette à l'eau: « Je vous ai dit les raisons qui m'ont donné l'envie de me marier; mais je crois que la plus véritable, c'est l'estime que j'ai pour vous. »

Forcé de comprendre, Lauzun fait durer le plaisir. Que dire, qu'objecter? Il trace de lui-même un portrait qui ne ressemble que trop à l'effrayante peinture de Saint-Simon. Il s'amuse, sachant bien qu'aux yeux de la pauvre amoureuse, qualités et défauts, tout est beau: « Je suis l'homme du monde qui aime le moins à parler et il me semble que vous aimez fort la conversation. Je suis des trois ou quatre heures enfermé seul dans ma chambre; si mon valet entrait, je crois que je le tuerais... J'ai une si grande sujétion auprès du Roi qu'il ne m'en resterait guère pour voir ma femme, si j'en avais. Ainsi je serais un mari que l'on ne verrait guère, et quand on le verrait qui ne serait guère divertissant... Après tout cela, me voudriez-vous? » — « Oui, je vous veux, et toutes ces manières me sont agréables. » — « Ne trouvez-vous rien à ma personne qui vous dégoûte? » — « Vous moquez-vous des gens? dit-elle avec humilité; vous n'avez que trop plu en votre vie. Mais moi, ne trouvez-vous rien en ma figure de déplaisant? »

Pas un compliment ne sort de la bouche de Lauzun. Pourquoi se forcerait-il pour une femme qui ne lui inspire nulle attirance et plutôt du dégoût? Mademoiselle n'y prend seulement pas garde. Généreuse même dans la passion, elle aime Lauzun plus qu'elle-même.

CHAPITRE IX

Séduite et abandonnée

Le plus difficile reste à faire, mais Mademoiselle se sent en état de grâce. L'ironie de la Cour peut se déchaîner et l'accabler de sarcasmes, la princesse ne voit rien, n'entend rien. Depuis la scène des aveux, elle vit dans un rêve, loin du monde, seule avec son amour. Qu'a-t-elle à faire de l'opinion publique?

En même temps que l'enthousiasme de ses vingt ans, la duchesse de Montpensier a retrouvé dans la passion la force qui soulève les montagnes et attendrit le cœur des rois. C'est avec une parfaite sérénité qu'elle s'apprête à affronter le jugement de Louis XIV. Une autre serait morte de peur, mais Mademoiselle ne doute pas une seconde d'arriver à ses fins. « Quand l'on se marie à des étrangers, lui écrit-elle, on ne connaît point ni l'humeur, ni le mérite des gens; ainsi il est difficile de se promettre une condition heureuse. La mienne l'est beaucoup; mais je suis persuadée que celle que je veux prendre le sera plus encore... C'est sur M. de Lauzun que j'ai jeté les yeux: son mérite et son attachement est ce qui m'a plu davantage en lui... Ainsi je demande à Votre Majesté, comme la plus grande grâce qu'elle me puisse faire, de m'accorder cette permission (de me marier)... »

Le bonheur a-t-il inspiré à Mademoiselle les mots qui savent persuader? Louis XIV est-il vraiment sincère? Toujours est-il que le Roi répond immédiatement, « d'une manière fort honnête », et trois jours plus tard, au cours d'une entrevue nocturne, il confirme à sa cousine qu'il la laisse libre d'agir à sa guise: « Vous êtes en âge de voir ce qui vous est bon. Je serais fort fâché de vous contraindre en rien. Bien des gens n'aiment pas M. de Lauzun. Prenez là-dessus vos mesures. » Louis XIV n'a pas voulu interrompre une aussi touchante histoire. L'avenir lui réserve d'autres occasions d'intervenir. « Sire, si Votre Majesté est pour nous, personne ne nous saurait nuire. » Si forte dans l'adversité, la princesse est vaincue par l'excès de joie. Elle s'effondre devant le Roi et, tandis qu'elle veut lui baiser les mains, le monarque la serre contre lui fraternellement.

Louis XIV n'avait pas rendu son verdict que le pays tout entier connaissait la nouvelle. Une indiscrétion de Guilloire, un serviteur de Mademoiselle, a suffi. De ruelle en ruelle, de salon en salon, de faubourg en faubourg, l'opinion est en alerte. On s'exclame, on invente, on s'extasie. Les bonnes amies et les mauvaises langues en demeurent également saisies.

La première à reprendre ses esprits est aussi la plus brillante chroniqueuse du XVIIe. Et, quand la vie entière de la Grande Mademoiselle serait rayée de l'Histoire, que le nom même de la princesse serait tombé dans l'oubli, il resterait à jamais une page de la littérature française pour rappeler ce que fut l'annonce du mariage de la petite-fille d'Henri IV avec un cadet de Gascogne. En quelques lignes, Mme de Sévigné a plus fait pour la popularité de l'héroïne que tous les historiens. Il n'y a qu'à lire la lettre à M. de Coulanges du vendredi 15 décembre 1670 et l'on revit le scandale, minute par minute. C'est le film d'une révolution de palais, comme Versailles n'en n'avait pas encore connu de semblable: « M. de Lauzun épouse dimanche au Louvre, devinez qui? Je vous le donne en quatre, je vous le donne en dix, je vous le donne en cent. » Mme de Coulanges dit: « Voilà qui est bien difficile à deviner; c'est Mme de la Vallière? » — « Point du tout, madame. » — « C'est donc Mlle de Retz? » — « Point du tout, vous êtes bien provinciale. » — « Vraiment, nous sommes bien bêtes, dites-vous, c'est Mlle Colbert? » — « Encore moins. » — « C'est assurément Mlle de Créquy. » — « Vous n'y êtes pas. Il faut donc à la fin vous le dire: il épouse dimanche au Louvre, avec la permission du Roi, Mademoiselle, de... Mlle... Mlle devinez le nom: il épouse Mademoiselle, ma foi! par ma foi! ma foi jurée! Mademoiselle, la Grande Mademoiselle, Mademoiselle, fille de feu

Monsieur, Mademoiselle, petite-fille d'Henri IV, Mlle d'Eu, Mlle de Dombes, Mlle de Montpensier, Mlle d'Orléans; Mademoiselle, cousine germaine du Roi, Mademoiselle destinée au trône; Mademoiselle, le seul parti de France qui fût digne de Monsieur. Voilà un beau sujet de discourir. » La Cour ne va pas s'en priver.

Monsieur frémit de colère, les princes s'estiment outragés, Condé crie plus fort que les quatre. Quant à la Reine, elle marque son hostilité par les propos les plus bas: « Vous feriez bien mieux de ne vous marier jamais et de garder votre bien pour mon fils d'Anjou. » Les quelques supporters de Mademoiselle sentent le danger. Ce n'est plus le moment de rêvasser. Le succès appartient à ceux qui savent brusquer le destin. « Au nom de Dieu, disait le duc de Montausier, mariez-vous plutôt aujourd'hui que demain. » Rochefort aurait voulu la cérémonie pour le soir même, et la chère Mme de Sévigné, qui en connaît long sur les mœurs de la Cour, répète à son amie de ne pas laisser au royaume le temps de parler, et que « c'est tenter Dieu et le Roi » que de retarder.

Mais Mademoiselle est déjà soumise. Elle n'a rien à dire, la décision dépend de celui en qui elle a placé sa foi et son amour. Tout ce que voudra Lauzun sera bien. L'ennui est que l'heureux élu tergiverse. Par ses hésitations, le courtisan commet sa première erreur stratégique: c'était exactement celle à ne pas faire. En trois jours, il détruit de ses mains des mois d'ingéniosité diabolique. Après l'avoir si bien servi, l'ambition va perdre M. de Lauzun. Parce qu'il avait rêvé d'une cérémonie grandiose devant la Cour rassemblée, il se vexe à l'idée d'un mariage discret et sans pompe. Aucun château ne convient au fiancé. Eu et Saint-Fargeau sont trop loin, d'autres demeures trop incommodes. On passe en revue tous les amis, toutes les maisons solitaires. C'est l'occasion d'une première dispute, pas assez violente cependant pour ouvrir les yeux de Mademoiselle qui vit toujours dans l'extase: « Tout ce qui se passa dans ces trois jours (mardi 16, mercredi 17, jeudi 18 décembre) et tout ce qui s'est dit dans cette affaire a été un temps si agréable pour moi que si je pouvais toujours y penser et croire y être encore, je serais bien aise. Je me rappelle ces moments comme les plus heureux de ma vie... »

Dans son innocence, Mademoiselle trouve en elle-même tant de raisons de bonheur qu'elle reste aveugle devant la froideur évidente de son amant. L'attitude de Lauzun est pourtant éloquente. Pendant ce temps des fiançailles, pas un mot de tendresse, pas un geste qui traduise la moindre gentillesse. Jusqu'au moment des donations, Lauzun affiche l'air ennuyé du monsieur qui passe un mauvais moment. La signature du contrat a tout de même l'heur de lui arracher un sourire. Il y avait de quoi. En toute simplicité, Mademoiselle abandonnait à son mari le comté d'Eu (la première pairie de France), la principauté de Dombes et le duché de Montpensier. Au total cinquante ou soixante millions. En sortant du cabinet de Me Boucherat, Lauzun n'est plus Lauzun: « Voici le duc de Montpensier que je vous amène; je vous prie de ne plus l'appeler autrement ». Mademoiselle a dit. C'était le mercredi soir. Le mariage devait avoir lieu le jeudi à midi. Malheureusement, le contrat ne fut pas prêt à temps.

Pour Mademoiselle, mieux vaut recevoir un « coup de massue ». La nouvelle la laisse à moitié morte, tandis que la Cour défile pour les félicitations d'usage. Au Luxembourg, c'est un va-et-vient de carrosses, une cohue de curieux qui cachent mal leur perfidie sous des sourires de convenance. A ces tartufes, Mademoiselle fait bonne figure, se retenant de mettre tout le monde à la porte pour se retrouver seule avec l'homme de sa vie, Lauzun son unique amour. Elle a tant besoin de réconfort, besoin de se laisser aller contre l'épaule de son amant et de se faire consoler. A la fin de la journée, elle croit enfin venue l'heure du tête-à-tête amoureux. C'était mal connaître Lauzun qui continue à fuir comme la peste toute espèce d'intimité. Sous prétexte de respect, il refuse de s'asseoir auprès de la princesse. Et, au lieu de mots d'amour, il prêche la raison: « Il est encore temps de rompre ce mariage...

» Même devant le prêtre, vous pouvez dire non... » L'avenir inquiète le courtisan. Au cas où l'affaire échouerait, le favori prépare sa retraite. Surtout se mettre à l'abri des reproches de Louis XIV. «Ce n'est pas ma faute, dira-t-il pour sa défense, c'est « elle », sire, qui m'a choisi. »

Mademoiselle, pour sa part, n'a pas fait de calculs. Par amour, elle s'est dépossédée, déconsidérée, ridiculisée. En échange, que demandait-elle? Un regard de tendresse, un élan du cœur. Presque rien, en somme, mais c'était encore beaucoup trop attendre de Lauzun. Comme si elle en avait d'un seul coup la révélation, la princesse, à bout de force après cette journée, se mit à crier: « Quoi, ne m'aimez-vous pas? » Il ne devrait pas y avoir trente-six réponses possibles, mais, dans l'art de se dérober, Lauzun a du génie: « C'est ce que je vous dirai en sortant de l'église: j'aimerais mieux être mort que de vous avoir pu faire connaître ce que j'ai dans le cœur pour vous, hors la plus grande reconnaissance du monde. » On en revient à des considérations plus générales. On règle l'emploi du temps des journées à venir. L'entretien se prolonge au coin du feu. Comme Lauzun se lève pour partir, car il ne veut pas rester à souper, Mademoiselle a une attention de femme amoureuse. « Vous avez les yeux bien rouges, s'inquiète-t-elle. Vous font-ils mal au cœur? » — « Non, car ils ne sont nullement dégoûtants. » Mademoiselle aimait Lauzun pauvre, cruel, malade. Elle l'aurait aimé défiguré. Stendhal y aurait vu un bel exemple de « cristallisation ».

Lorsque la porte se referme sur son amant, Mademoiselle ne sait pas qu'elle a vécu ses derniers instants de bonheur. Maintenant les choses vont aller très vite. A huit heures, un gentilhomme annonce à la princesse que le Roi la demande. Elle n'ose pas comprendre, mais elle se sait perdue. Le Roi est seul, immobile, très ému: « Je suis au désespoir de ce que j'ai à vous dire. On m'a dit que l'on disait dans le monde que je vous sacrifiais pour faire la fortune de M. de Lauzun; cela me nuirait dans les pays étrangers... »

Louis XIV vient de prononcer les seules paroles que Mademoiselle n'aurait jamais voulu entendre, des paroles plus cruelles que la mort. C'est alors, entre le Roi et sa cousine, une scène horrible. Folle de douleur, le visage baigné de larmes, de toute son âme, de tout son corps, la princesse dit non. C'est trop cruel, c'est trop injuste, elle n'a pas mérité une telle punition: « Sire, il vaudrait mieux me tuer que de me mettre en l'état où vous me mettez. »

Louis XIV ne proteste pas. Il mesure l'étendue du sacrifice qu'il impose à sa cousine et cherche à la consoler avec de bonnes paroles. Trois quarts d'heure, ils restent ainsi, joue contre joue, à pleurer aussi fort l'un que l'autre: « Ah! pourquoi, gémit le Roi, avez-vous donné le temps de faire des réflexions?

Que ne vous hâtiez-vous! » — « Hélas, sire, qui se serait méfié de la parole de Votre Majesté! » Et Mademoiselle se laisse emporter par l'excès de désespoir: « Je mourrai et je serai trop heureuse de mourir. Je n'avais jamais rien aimé de ma vie; j'aime et aime passionnément le plus honnête homme de votre royaume. Vous me l'aviez donné, vous me l'ôtez, c'est m'arracher le cœur. »

Elle pleure, elle gémit, et le Roi assiste au spectacle de cette princesse qui n'est plus rien qu'une femme déchirée, écrasée par la douleur. Un bruit, soudain, arrache la duchesse de Montpensier à ses pleurs. Quelqu'un a toussé à côté. « A qui me sacrifiez-vous là, sire? Serait-ce à M. le Prince? Je ne crois pas, après toutes les obligations qu'il m'a, qu'il voulût être spectateur d'une scène aussi cruelle pour moi! »

Pourtant, Mademoiselle ne s'est pas trompée. Comme un vulgaire laquais, Condé écoute à la porte, sans perdre une parole de la conversation. Selon la propre volonté de Louis XIV, il va tout rapporter à la famille royale. Prisonnier de la mise en scène qu'il a lui-même imaginée, le souverain répond assez fort pour que M. le Prince l'entende distinctement: « Les rois doivent satisfaire le public. » — « Assurément, répond Mademoiselle, vous vous y sacrifiez bien; car ceux qui vous font faire ceci se moqueront de vous. »

Condé, dans l'ombre, eut un sourire. Il était content du roi de France. Pour un peu, il aurait applaudi à ce beau numéro de comédien. Le souverain était doué pour le théâtre.

Remontée en carrosse, Mademoiselle se déchaîne. Elle trépigne, brise les vitres de la voiture. Au Luxembourg, elle traverse comme une somnambule couloirs et antichambres. Une fois couchée, elle reste vingt-quatre heures au lit, sans connaissance. Quand on lui nomme M. de Lauzun, elle s'écrie: « Où est-il? Que dit-il? » Mais elle n'aura même pas la liberté de souffrir en paix. Dès le lendemain, tout Paris prenait le chemin du Luxembourg, ravi de se repaître du malheur d'autrui. Mme de Sévigné, qui avait parié que la noce ne se ferait pas, fut une des premières à se rendre au chevet de Mademoiselle: « Je la trouvai dans son lit; elle redoubla ses cris en me voyant; elle m'appela, m'embrassa, me mouilla de ses larmes. Elle me dit: « Hélas! vous souvient-il de ce que vous me dîtes hier? Ah! quelle cruelle prudence! Ah! la prudence! » Elle me fit pleurer à force de pleurer. »

Devant une si grande douleur, la curiosité de Mme de Sévigné s'est changée en une réelle affliction et elle avoue avoir retrouvé dans cette occasion « des sentiments qu'on n'a guère pour des personnes d'un tel rang ». L'attachement de Mademoiselle pour M. de Lauzun n'était pas de ces inclinations qui fleurissaient d'ordinaire à Versailles. C'était même une passion si peu commune que Balzac, deux siècles plus tard, ne trouva pas à citer de plus parfait exemple de désespoir d'amour: « Depuis le moment, écrit-il dans *Le Père Goriot,* où toute la Cour se rua chez Mademoiselle à qui Louis XIV arrachait son amant, nul désastre de cœur ne fut plus éclatant que ne l'était celui de Mme de Bauséant... »

Aux yeux du monde, la princesse parut simplement ridicule. Loin de la plaindre, on se moqua. Son air absent, ses joues creuses et ses larmes donnèrent lieu à toutes les plaisanteries. Il n'y a pas place à la Cour pour les grandes passions et il fallait être Mme de Sévigné pour distinguer entre un vaudeville et « le juste sujet d'une tragédie ».

Mais que faisait Lauzun? Il soutenait ce malheur avec d'autant plus de fermeté que le rôle n'était pas pour lui bien difficile à tenir. Le Roi accorde à son favori les « grandes entrées », le droit de pénétrer librement en tous lieux du palais et cinquante mille livres de rente. Quant à la princesse, elle continue à lui vouer un véritable culte, si bien que l'intéressé bénéficie de tous les avantages de cette adoration, sans le désagrément d'avoir épousé une femme mûre.

« Le petit homme aux yeux bleus » s'était fort bien installé dans cette vie de rêve, lorsqu'un nouveau coup de théâtre éclate. Et cette fois, c'est sérieux. Le 25 novembre 1671, le trop heureux Lauzun est arrêté sur ordre de Louis XIV et conduit à Pignerol, redoutable citadelle des Alpes, où le surintendant Fouquet dépérissait depuis de longues années. On a souvent épilogué sur les causes de cette disgrâce. Il semble que ce soit à la haine de la Montespan que le gentilhomme ait dû son exil. C'est l'époque où le Roi ne sait rien refuser à sa favorite et une plainte de la dame a suffi: Lauzun est enfermé pour dix ans, sans jugement, en vertu de l'autorité souveraine qui, en certains cas non définis, dispense de faire appel à la justice des hommes.

Rien n'a été épargné pour rendre la captivité la plus dure possible. Ordre est donné d'enfermer le prisonnier avec un valet « sans jamais les laisser sortir ni communiquer avec âme qui vive. » Lorsque Lauzun vit ces fenêtres grillagées, entendit le silence et sentit à jamais peser sur lui le poids du donjon, il eut un dernier mot d'homme de cour: « Je suis ici *in pace* et *in saecula saeculorum.* » Le prisonnier n'était pas loin de la vérité. Il restera dix ans à Pignerol, et dix ans dans un cachot valent bien une éternité.

Pour Mademoiselle, le temps s'est arrêté le jour de l'arrestation de son amant. Sans le désir de plaire au Roi, sans la secrète espérance d'arriver à le fléchir, elle ne serait jamais retournée à Versailles. Mais l'image de Lauzun, qui ne quitte pas son esprit, la galvanise. Si elle suit la Cour dans tous ses déplacements, si elle participe malgré elle aux bals et aux comédies, Mademoiselle a ses raisons. Tout en vivant dans le souvenir de l'homme aimé, à chaque minute, elle prépare l'avenir. « Je vois le Roi souvent et je suis persuadée que ma présence lui fait souvenir de M. de Lauzun; c'est pourquoi je voudrais être toujours devant ses yeux. Après ce que je lui dis lorsqu'il rompit mon mariage, je ne puis croire qu'il prenne mes regards pour des supplications. »

Les années se suivent et se ressemblent étrangement, avec leur cortège de voyages, de fêtes et de batailles. La princesse accompagne la Reine dans ses promenades, saisissant toutes les occasions de lui rappeler le favori disgracié. Tant de fidélité ne réussit pourtant pas à rompre le lourd silence qui entoure le donjon de Pignerol. Jusqu'en février 1676, aucune nouvelle ne parvient aux oreilles de Mademoiselle, lorsque soudain on apprend que le prisonnier a manqué s'évader. Mademoiselle redevient le point de mire du Tout-Paris. On ne parle d'autre chose. « On me regardait, écrira-t-elle... L'on conta qu'il y avait trois ans qu'il travaillait à faire un trou et qu'il avait fait une corde avec du linge, la mieux faite du monde, par où il était descendu la nuit à un endroit où c'était miracle qu'il ne se fût pas cassé le cou. Il commençait à faire un peu jour. Il vit une porte ouverte, il entra. » Une servante fera tout échouer, et Mme de Sévigné, qui relate chaque épisode du roman, a, une fois de plus, le mot de la fin: « Ce pauvre Lauzun, ne vous fait-il pas grand-pitié de n'avoir plus à faire son trou? Ne croyez-vous pas bien qu'il se cassera la tête contre la muraille? »

Lauzun ne se cassa pas la tête, mais le cœur de la

princesse se remit à saigner comme au premier jour de l'exil. La douleur, un moment apaisée par le temps, se réveilla naturellement en elle et, d'avoir imaginé Lauzun en liberté, lui rendit la séparation encore plus pénible.

Dans les fêtes et les cérémonies, Mademoiselle ne voit plus que des obligations mondaines dont elle s'acquitte la mort dans l'âme, tandis que Lauzun, à Pignerol, reprend, au contraire, goût à la vie. Après l'évasion manquée, le sort du prisonnier s'est sensiblement amélioré. Il peut converser avec Fouquet, rencontrer son frère, sa sœur Mme de Nogent, et même trouver le moyen de faire secrètement sa cour à Mlle Fouquet. Mais de toutes les grâces qu'il obtint, aucune ne lui fut plus sensible que la visite de Barrailh, son fidèle intendant, qu'il appelait « un autre moi-même ». Cet « autre moi-même » va bientôt servir d'agent de liaison entre Pignerol et Versailles où, dès le début de 1680, se trament de curieux calculs autour de la personne du gentilhomme.

Février à Saint-Germain. Revenu de Pignerol, Barrailh se rend chez Mme de Montespan. Il y vient une fois, deux fois, plusieurs fois de suite, si bien que « cela avait une manière de mystère ». Dès qu'il s'agit de son amant, Mademoiselle a des antennes. Elle ne voit pas encore très bien le nœud de l'intrigue, mais une chose est certaine: la Montespan a une idée. Une nouvelle comédie se monte en coulisse, qui éclatera un beau matin par ces paroles de la favorite: « Songez, dit-elle à Mademoiselle, à ce que vous pourriez faire d'agréable au Roi pour vous accorder ce qui vous tient le plus à cœur. » Mystère... Mais, après deux ou trois discours semblables, la princesse a percé la devinette: « Mme de Montespan jetait de temps en temps des propos de cette nature qui me firent aviser qu'ils pensaient à mon bien. » C'est en effet un marché que l'habile Athénaïs propose à la duchesse de Montpensier.

Louis XIV consentirait à libérer Lauzun à la seule condition que la Grande Mademoiselle fasse son héritier du duc de Maine, un des bâtards du Roi et de sa maîtresse. L'expérience a rendu la pauvre princesse pleine de méfiance. Dans sa vie déjà longue, que de promesses lui ont été faites, sans être tenues. Alors cette fois, elle s'inquiète: « Je veux la liberté de M. de Lauzun, mais si, après que j'aurai donné, on me trompe et qu'on ne le fasse pas sortir? » En réalité, Mademoiselle comprend vite qu'elle a la main forcée et que toute cette affaire n'est qu'un misérable chantage. Si elle ne s'exécute pas, le Roi enverra Barrailh à la Bastille et, bien sûr, la princesse ne peut vouloir du mal à un si fidèle ami. C'est ainsi que le 2 février 1681, en son appartement du Château de Saint-Germain, elle cédait, malgré elle, au jeune duc de Maine, la souveraineté de Dombes et le comté d'Eu, ses plus belles terres qu'elle avait jadis données à Lauzun, dans un élan d'amour.

Maintenant qu'elle a payé la rançon, Mademoiselle attend la récompense du sacrifice. Lui rendra-t-on enfin son Lauzun? Mais personne ne parle du prisonnier et la malheureuse princesse avance de déception en déception. C'est d'abord la nouvelle que le Roi n'acceptera jamais de mariage officiel: « Les mystères donnent du goût aux choses », ironise la Montespan devant l'air indigné de la fille de Monsieur. Ensuite, le retour de Lauzun est retardé. On le transfère à Bourbon, puis dans la citadelle de Chalon-sur-Saône, puis plus tard à Amboise.

A l'en croire, le gentilhomme se meurt d'ennui, mais, semblable à lui-même, il ment effrontément. Partout où il passe, il rassemble autour de lui une nombreuse compagnie. Il brille dans les salons et cultive les bonnes grâces des beautés de rencontre. Sur l'intervention de la Montespan, Mademoiselle abandonne à son amant les baronnies de Thiers, le duché de Saint-Fargeau et dix mille livres de rente. Pendant que les deux âmes damnées que sont Lauzun et la Montespan se réconcilient à ses dépens, Mademoiselle répond à la ruse par la générosité. Le bonheur qu'elle imagine n'a pas de prix. Dans un mois, dans une semaine, dans trois jours, Lauzun sera libre. L'angoisse qui précède le grand jour, la peur, l'espoir et les questions folles qui vous tournent la tête. Plus que quelques heures de cette attente.

« En arrivant, je fus chez Mme de Montespan, où

M. de Lauzun vint, après avoir vu le Roi; il avait un vieux justaucorps à brevet, de longtemps avant sa prison, trop court et quasi tout déchiré, une vilaine perruque. Il se jeta à mes pieds; puis Mme de Montespan nous mena dans son cabinet et dit: « Vous serez bien aises de parler ensemble. »

C'est tout. Une description extérieure du personnage, comme aurait pu en faire n'importe quel observateur de la Cour. Pas un mot d'amour, pas une confidence, pas une larme d'émotion. Au moment où se réalise l'événement qu'elle attend depuis dix ans, Mademoiselle remarque chez l'homme aimé l'usure des vêtements et la perruque démodée. La réalité paraît-elle décevante à côté du beau rêve? A moins que la présence de Mme de Montespan n'incite la princesse à modérer ses transports? Ou bien celle-ci est-elle paralysée par la timidité?

La soirée efface cette première impression d'amertume. On se dit des douceurs et des « propos gracieux », mais cela ne va pas durer. Il n'y a pas cinq jours que Lauzun a retrouvé Mademoiselle que déjà ils se querellent. Elle a cinquante-trois ans, Lauzun quarante-sept. Après dix ans d'absence, il a l'intention de rattraper le temps perdu et ce n'est pas avec une vieille femme qu'il peut satisfaire cette fureur de vivre.

Par nature, Lauzun était insolent, méchant, menteur, intéressé et volage. Il a toujours les mêmes défauts, exacerbés seulement par la rancune. Aussi ne se gêne-t-il pas pour étaler sa goujaterie. Toutes les occasions lui sont bonnes de fuir Mademoiselle. Ouvertement, il la trompe et la bafoue. Pour retrouver ses maîtresses, Lauzun se dit malade ou prétend se rendre au chevet de sa mère mourante. Les blasphèmes ne l'effraient pas plus qu'ils n'effrayaient son maître don Juan.

Au hasard des indiscrétions des uns et des autres, Mademoiselle découvre les mensonges dont elle est victime. « Comment, lui dit Mme de Langlée, mais M. Lauzun a soupé chez moi hier au soir! Ne le saviez-vous pas? » Pour sauver les apparences, la princesse fait semblant d'être au courant, mais elle est bouleversée. Chaque jour, maintenant, amène une nouvelle querelle. Plus Lauzun joue la comédie, plus Mademoiselle s'aigrit. La Montespan elle-même, qui a pourtant partie liée avec l'ancien prisonnier, s'indigne de tant d'ingratitude: « Vous ne seriez jamais sorti sans Mademoiselle et l'on n'aurait point songé à vous sans elle. »

Le départ du fidèle Barrailh ne va pas arranger les rapports entre les époux. Car c'est vers ce temps, sans doute, qu'il faut situer le fameux mariage secret. En ce printemps 1682, un reste d'amour habite la malheureuse femme. Quant à Lauzun, il ne voit pas d'autre moyen de rétablir sa fortune. Aussi, avant la cérémonie, lui arrive-t-il encore de faire l'aimable.

Mais sitôt le contrat signé, Lauzun parle en maître chez Mademoiselle. Alors qu'il gaspille ses revenus au jeu et avec les filles, il ose demander des comptes à la princesse. Il lui reproche son château de Choisy, la belle demeure édifiée par le célèbre architecte Gabriel:

« Toutes ces terrasses coûtent des sommes immenses. A quoi cela est-il bon? Vous auriez mieux employé cet argent en me le donnant. »

Toujours prête à pardonner, la duchesse de Montpensier continue encore à couvrir de ses dons cet être odieux. Lui offre-t-elle des boutons de manchettes en diamants, il les lui rend peu après en déclarant que « tout le monde les a trouvés vilains », ce qui témoigne d'une recherche peu ordinaire dans l'impertinence. La situation empire au point que Louis XIV s'inquiète de cet étrange couple. Colbert confie à Mademoiselle, en parlant de Lauzun: « Il ne se conduit pas bien à votre égard, et c'est ce qui déplaît au Roi », tandis qu'à la Cour les fredaines du personnage font la joie des bonnes langues.

Au plus fort des scènes de ménage, les époux princiers en viennent aux mains, et les réconciliations qui suivent sont aussi spectaculaires que les disputes. Le duc de Saint-Simon donne un joli résumé de la situation: « Etant à Eu avec Mademoiselle, M. de Lauzun ne put s'empêcher d'y courir les filles; Mademoiselle le sut, s'emporta, l'égratigna, le chassa de sa présence.

La comtesse de Fiesque fit le raccommodement. Mademoiselle parut au bout d'une galerie, il était à l'autre bout et il en fit toute la longueur sur ses genoux. Ces scènes plus ou moins fortes recommencèrent souvent dans les suites. Il se lassa d'être battu et, à son tour, battit bel et bien Mademoiselle... »

De querelle en querelle, on approche inévitablement de la rupture, mais, jusqu'au bout, la princesse fera tout ce qui est en son pouvoir pour retarder l'échéance. On se demande les raisons de cette obstination à garder auprès d'elle un personnage aussi abominable. Pourquoi tant de constance? Mademoiselle avoue simplement: « Je commençais à le connaître et m'en lasser, mais je voulais soutenir la gageure et je ne voulais pas, après avoir tant fait pour lui, le laisser là, sans avoir achevé, c'est-à-dire le faire duc, et qu'il retournât à la Cour. »

C'est donc une question d'amour-propre. La petite-fille d'Henri IV veut se prouver qu'elle est capable de réussir ce qu'elle a entrepris. Tout vaut mieux que de se désavouer soi-même. Peut-être aussi Mademoiselle se sent-elle à jamais enchaînée à cet homme, le seul être à qui elle se soit donnée corps et âme. Pour elle, si vertueuse, ce n'était pas rien. Enfin, sa patience fut infinie.

Le temps passe. Le 30 juillet 1683, la Reine meurt à quarante-cinq ans, enlevée par une fièvre maligne. Et sous les voûtes de Saint-Denis, tandis que tonne la grande voix de Bossuet, Mademoiselle médite sur la vanité des choses humaines: « Ecoutez la pieuse Reine, déclamait le prédicateur. Ecoutez-la, princes. Elle vous dit par ma voix que la grandeur est un songe, la joie une erreur, la jeunesse une fleur qui tombe et la santé un nom trompeur... » La duchesse de Montpensier avait entendu dans sa vie bien des oraisons célèbres, mais jamais les paroles de Bossuet n'avaient éveillé en elle un tel écho.

Sept mois s'écoulent encore. Lauzun s'ennuie à périr et il se venge sur sa femme de son inaction. Il ne lui épargne ni sa mauvaise humeur, ni ses grossièretés. C'est dans cette atmosphère intenable que l'ancien favori fait demander au Roi de pouvoir reprendre place à ses côtés, comme aide de camp. Mais Louis XIV ne veut rien entendre: « J'ai mes raisons, dit-il, pour ne voir point M. de Lauzun. »

Lauzun rend Mademoiselle responsable de sa disgrâce et, lorsqu'elle lui conseille ironiquement de partir pour Saint-Fargeau, il lui réplique, la rage au cœur: « Je m'en vais et vous dis adieu pour ne vous voir de ma vie. » — « J'aurais été bien plus heureuse si je ne vous avais jamais vu, enchaîne la princesse sur le même ton; mais mieux vaut tard que jamais. » — « Vous avez ruiné ma fortune, vous m'avez coupé la gorge; vous êtes cause que je ne vais point avec le Roi; vous l'en avez prié. » — « Oh! cela est faux; il peut dire lui-même ce qui en est. » Après une fausse sortie, la duchesse de Montpensier va droit à Lauzun et, les yeux dans les yeux, elle lui crie: « C'est trop; tenez votre résolution. Allez-vous-en! »

En trois répliques, les jeux sont faits. Mademoiselle ne reverra jamais Lauzun. De loin en loin, elle suivra la carrière du courtisan, son courage pendant la Révolution anglaise, son retour en grâce auprès de Louis XIV, son titre de duc... Mais on dirait qu'il s'agit d'un autre. L'homme que la duchesse de Montpensier a follement aimé est mort pour elle en cette soirée du 22 avril 1684 et « je crois, ajoute Mme de Sévigné, qu'elle a honte maintenant de son attachement pour si peu de chose ».

Même si Mme de Sévigné a raison, la princesse n'est pas allée jusqu'à faire un tel aveu. Elle n'était pas femme à se renier.

CHAPITRE X

Le voyage s'achève

Le voyage s'achève. Dans la dévotion et les bonnes œuvres, la princesse a enfin trouvé la paix, et si, à la Cour, elle fait désormais figure de personnage suranné, Mademoiselle s'en moque. Avec une parfaite lucidité, elle voit la mort qui approche. L'essentiel est de bien s'y préparer.

Le dimanche 5 avril 1693, la duchesse de Montpensier expirait à l'âge de soixante-six ans. C'est à la fin de mars que s'étaient déclarés les premiers symptômes d'une grave maladie des reins. Des douleurs « violentes et continuelles » la torturent, mais la mourante supporte tout avec stoïcisme. Aussi longtemps qu'elle en a la force, la princesse s'accroche à la vie qu'elle a tant aimée. Elle se réserve le temps de revoir les grands moments de son existence, de ressusciter une dernière fois tous les visages aimés: la bonne Mme de Saint-Georges, sa première gouvernante aux Tuileries, Condé à l'attaque du faubourg Saint-Antoine, et un petit homme aux yeux bleus...

Et, lorsqu'elle a passé en revue tous les chers souvenirs, lorsqu'elle a terminé ses adieux au monde, Mademoiselle se sent prête. Le Roi, le Dauphin et toute la famille royale ont défilé au Luxembourg. Maintenant, Mademoiselle s'en remet à Dieu et au Père Bourdaloue.

Au chevet de Mademoiselle, il n'y avait qu'un absent. Le seul être à qui la vieille femme refusera de pardonner jusque sur son lit de mort. Pourtant, Lauzun prit le deuil et le fit prendre à toute sa maison. Cet exhibitionnisme déplut fort à Louis XIV, d'autant que ce veuf éploré se dépêchera d'épouser une petite fille de quatorze ans; il était alors âgé de soixante-deux ans, mais eut le mauvais goût de vivre encore jusqu'à quatre-vingt-dix. Par ce mariage avec Geneviève de Durfort, il devait devenir le beau-frère de Saint-Simon.

C'est ce même duc de Saint-Simon qui nous laisse le récit détaillé des cérémonies funéraires: « La pompe funèbre se fit en son entier, et le corps fut gardé plusieurs jours, alternativement par deux heures, par une duchesse ou une princesse et par deux dames de qualité, toutes en mantes, averties de la part du Roi, par le grand maître des cérémonies... »

Au cours d'un des multiples rites de cette pompe funèbre, le tragique tourna au burlesque... « L'urne qui était sur une crédence et qui contenait les entrailles se fracassa avec un bruit épouvantable et une puanteur subite et intolérable. A l'instant voilà les dames, les unes pâmées d'effroi, les autres en fuite. La confusion fut extrême... C'étaient les entrailles mal embaumées qui, par leur fermentation, avaient causé ce fracas. Tout fut parfumé et rétabli et cette frayeur servit de risée... »

Ainsi, jusque dans la mort, le mauvais sort la poursuit. Pour prononcer son oraison funèbre, la Grande Mademoiselle n'a ni un Bossuet, ni un Massillon, ni un Fénelon, mais l'abbé Anselme, célèbre prédicateur de Paris, au style ampoulé et fleuri, qui ne sut débiter, sur une existence si peu commune, que des banalités. « La gloire et la richesse ont été dans sa maison... » Sous la grande nef sombre de Saint-Denis, le père n'avait pas jugé bon de rappeler les exploits militaires, la fougue et la passion qui avaient habité cette grande âme. Des détails, en somme...

« Et avec tous les avantages que Dieu m'avait donnés, j'ai été si malheureuse toute ma vie... » Une petite phrase des mémoires, un des rares moments d'abandon qu'en soixante ans Mademoiselle se soit permis. Si elle avait eu moins de fierté, la princesse eût été en droit de crier à l'injustice. La vie ne l'a pas gâtée. Pourtant la fille de Gaston d'Orléans avait tout pour connaître le bonheur. Enfin, tous les biens terrestres qu'un humain peut espérer. Mais, par la violence de ses réactions, son mépris de la prudence, son anticonformisme, Mademoiselle a été le premier auteur de ses échecs. Victime de son imagination, elle préférait le rêve à la réalité, toujours en quête de l'impossible. Avec ses obsessions matrimoniales, son aveuglement devant l'évidence, son manqúe de psychologie en amour, elle frôle plus d'une fois le ridicule. Mais on lui pardonne tout pour la noblesse de son âme et son sens de la grandeur. Il n'y eut pas dans l'Histoire de femme plus dépourvue de calculs, plus spontanément généreuse. Si elle a raté sa vie, elle l'a ratée en beauté.

Et, comme Cyrano à l'heure de la mort, elle emporte avec elle son panache.

RÉFÉRENCES ICONOGRAPHIQUES

(B.N.E. = Bibliothèque Nationale. Cabinet des Estampes, Paris)

1. Portrait par Philippe de Champaigne. *Louis XIII couronné par la Victoire.* Musée du Louvre.
2. Portrait par Peter Paul Rubens. Rijksmuseum, Amsterdam.
3. Portrait par Van Dyck. Musée Condé, Chantilly.
4. Dessin par L. Massard. *Marguerite de Lorraine, Duchesse d'Orléans (Madame).*
5. Dessin. B.N.E.
6. Portrait par Philippe de Champaigne. Musée Condé, Chantilly.
7. Abraham Bosse: *Le Ballet.* B.N.E.
8. Dessin et gravure par Perelle.
9. Portrait par Beaubrun. Collection privée.
10. Gravure par Huret. B.N.E.
11. Portrait par Van Dyck. Bergues.
12. Gravure par C. Galle. B.N.E.
13. Portrait par Philippe de Champaigne. Collection Deveen.
14. Auteur inconnu. *Le Grand Condé vers 1645.* Musée Condé, Chantilly.
15. Dessin de Beaumont.
16. Gravure, 1642. B.N.E.
17. Portrait par Philippe de Champaigne. Musée Condé, Chantilly.
18. Mazarinades. M. 15043. *Duel de Femmes.* Juillet 1650. Bibliothèque Mazarine, Paris.
19. Plume et lavis. B.N.E.
20. Plume et lavis. 1650. B.N.E.
21. Portrait par Mignard. Collection Prince.
22. Gravure. 18 août 1649. B.N.E.
23. Dessin par Belloli. *Charlotte-Marie de Lorraine, Demoiselle de Chevreuse, morte en 1652.*

24. *Madame de Longueville.* Frontispice de « Clélia », de Mlle de Scudéry. Dessin de Beaubrun. B.N.E.
25. *Madame de Montbazon.* Ecole française. Marseille, Longchamp.
26. Gravure. 17 mars 1652. B.N.E.
27. Plume et lavis. 1652. B.N.E.
28. Photographie.
29. Gravure par Trouvain. *Le Salon de Musique. Quatrième Chambre des Appartements de la Reine à Versailles.* Collection Grosjean.
30. Portrait par Lely.
31. Gravé d'après Rigaud. Bibliothèque Sainte-Geneviève, Paris.
32. Photographie.

Couverture:
Portrait par P. Bourguignon (détail). *Mademoiselle de Montpensier tenant le portrait de son père.* Château de Versailles.

PHOTOGRAPHIES

Archives photographiques	5, 28
Bulloz	1, 2, 7, 8, 9, 11, 16, 21, 24, 32
Giraudon	3, 6, 10, 12, 13, 14, 17, 18, 20, 22, 25, 26, 27, 29, 30, 31, couverture
Roger-Viollet	4, 15, 19, 23

Imprimé en France

TABLE DES CHAPITRES

Cet ouvrage a été imprimé
par Union-Rencontre Mulhouse
et relié
par H. et J. Schumacher, à Berne.

ЯR